SV

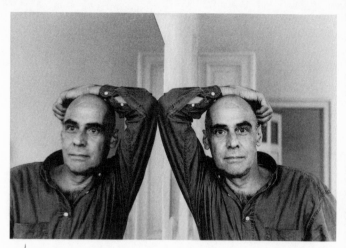

?Was fehlt euch denn, wenn ich euch fehle?
Ich weiß es: Nichts. ~~Nur~~ eure Seele.

Foto: Isolde Ohlbaum

Thomas Brasch
Wer durch mein Leben will, muß durch mein Zimmer

Gedichte aus dem Nachlaß

Herausgegeben
von Katharina Thalbach
und Fritz J. Raddatz

Suhrkamp Verlag

Wer durch mein Leben will,
muß durch mein Zimmer

Es gibt mich noch

Unverhofftes Wiedersehen

An einem Spiegel vorbeigehen: Da
bin ich tatsächlich immer noch: Und dachte
es gäbe mich garnicht mehr: Ich träumte
über den Tod raus seit 3 Jahren. All das dachte ich.
Aber Es gibt mich noch. Jedenfalls
sieht einer aus wie mein Foto. Wenn
ich am Spiegel vorbeigehe.

Haben Sie, Herr B.,
sich außerhalb der Schule mit Literatur und Geschichte be-
faßt / Mit Philosophie. Also mit der Kritik der reinen Vernunft
von Kant / Haben Sie das denn verstanden / Nein / Da gehört
doch eine ziemliche Geduld dazu, ein so umfangreiches Werk
zu lesen, ohne den Inhalt zu verstehen. Was haben Sie denn
außerdem noch gelesen / Schopenhauer / Verstanden Sie das /
Ja / Das ist ja alles möglich und kann von vielen reifen Er-
wachsenen nicht behauptet werden. Was haben Sie denn von
der schönen Literatur gelesen / Durchschnittlich alles / Damit
ist viel gesagt. Was denn speziell / Heines Gedichte / Was
haben Sie an erotischen Gedichten gelesen / Mantegazza /
Ach, wegen all dem Gelesenen, wegen all dieser Beispiele sagten Sie sich also: Sowas möchte ich auch machen / Nein /
Woher ist denn der Drang zum Schriftsteller sonst gekommen /
Ich hatte die bestimmte Absicht / Welche Absicht denn /
Darüber spricht man nicht

willst du verhaftet sein: jetzt oder immer

Wer in mein Leben will, geht in mein Zimmer
wer mit mir leben will
muß in mein Zimmer
könnt ich woanders hin
leben für immer,

würde ich nie wo anders sein,
lebt ich in jeder Kammer.

Ein guter Platz, sagt sie,
hinter der Schreibmaschine
die Welt ins Lot das Leben in die Ordnung,
sie sagt das setzt sich in den Sessel mit blanken
Strümpfen, Knie reibt sich an Knie, das runde Knie
nicht wegsehn von der Haut die kleidet
das liebste Fleisch mir ein das sitzt im Sessel
aufgerichtet und die Haut gehüllt in durchsichtigen Stoff
das sitzt im Thron die Dämmerung fällt in die Fenster
und kriecht an ihrem Bein bis in mein Herz DAS DENKE ICH
wes Reiches König bin ich wen fällt mein Befehl
mich selbst am Ende Ach trinken und die Welt aus allen Angeln
daß mir das Denken leichtfällt Wein und Schnaps
und eine Linie Kokain

mein Zimmer eine Wartehalle
die Bank als wär mein Platz
im Bahnhof das stellt sie dar wie ich
einen in einem Stück ich kenn nicht
den Verfasser wo spielt das hebt den Vorhang
was steckt hinter ihm

einer der die Nähe sucht der andere
das Weite

Wohnen

An der Tür das Schild trug meinen Namen
als ich ankam, eingewiesen war
und das Ohr ans braune Holz dann legte,
war es still dort. Nichts als still.

Noch die Hand feucht an der kühlen Klinke
bin ich Mieter, unterkünftig schon,
sind bewohnt zwei leere weiße Räume
wer jetzt klopft meint mich nur mich.

Einen Tisch stell ich ins erste Zimmer
Schrank und Stoffe für die Wand
blaue Abende sehn mich am Fenster
schwere Schritte hör ich nachts.

Langsam füllen sich die Flure
blättert matt die Farbe ab
ausgewechselt sind die Stühle
Bilder Ofen Teppich auch.

An der Tür das Schild trägt keinen Namen
wenn ich weggeh, ausgewiesen bin,
und mein Auge an das Glas noch lege
ist es leer dort wieder leer.

Ach, wenn ich denke die Welt dreht sich um mich
wie sich die Erde um die Sonne dreht
daß man sich überall das Maul zerreißt
+ nur damit mein Leben, das doch T Punkt B Punkt heißt,
dann denk ich auch ich bin für mehr nicht gut
auch nicht für weniger als lehren zu verstehn
die ich liebe, daß sie besser sich ein Glück antut
als mich: das Unglück

Ich habe Hunger und ich habe ihn so satt
ich habe Durst und will nicht trinken
das Wach in meinem Schlaf macht mächtig matt
ich steige auf und muß doch tief versinken
Ich wollte nie das Komma sein in einem Satz.
Nichts weniger als Frage Ausruf Punkt
Der Hase in der Jagd, der Jäger bei der Hatz
Das Schlimmste war mir nicht das Sterben
Viel schlimmer ist lebendig zu verderben.

RATLOS VOR MEINEN EIGENEN WORTEN
IM MATTEN FRÜHLICHT
am Morgen vor dem Schreibtisch ein schneller Blick auf das
Papier vorm Haus rufen die Zeitungsjungen ihre täglichen
Lügen. Die Hure sieht mir über die Schulter und lacht. Sie hat
12 Semester Germanistik studiert: »Kein Markt für Gedichte.
Schreib den Roman deiner Generation«. Sie steckt den Hun-
dertmarkschein in ihre gelbe Tasche. Die Tür schlägt zu. Sie
geht auf den Markt. Mit großen Schritten. Ich seh sie verschwinden vom Fenster zwischen Autos und Zeitungen.
Schreiben ist die langweiligste Arbeit der Welt. Ratlos im Frühlicht und der Baum vor meinem Fenster wirft seinen langen
Schatten auf meine nutzlosen Zeilen auf die selbstmitleidigen
Sätze auf mich überflüssig und den Schädel voll vom Klappern
ihrer eisenbeschlagenen Absätze über den Markt.

MEIN BERUF HEISST MICH NICHT VERSTECKEN,
sondern öffentlich entdecken,
mich zu finden, in dem ich mich verliere,
nicht bewahren für mich, finden nur will ich seit ich lebe.

Das langsame Begreifen, die Nähe
suchen statt Ferne
auch Schmerz sich von
Gewohntem zu lösen
Vor dem anderen statt Nähe das Weite suchen

Selbstkritik 7

Zürich zwischen den Denkmälern am Morgen
Lenin Büchner Joyce Gehen so langsam der Schritt
Die Sonne flach über der Limmat Flach
die Brücken über der Limmat Jetzt
hast du die Hälfte herum von deinem Leben geschafft
wenig mehr als zehn Jahre zuvor
ein Kind gemacht Wörter gemacht Dem Alten
hinzugefügt nichts Neues

Über Kunst

Vielleicht ist, in ein offenes Licht zu treten
nichts anderes als: Ich will, daß ihr mich blendet.
Als Blinder wird es mir gelingen, so zu beten,
daß ich nicht schuld bin und die Tat nicht endet.

Wer andres will, soll seine Hände lassen
vom offnen Licht. Sonst wird es ihn zerblassen.

Und ich. Bin nichts als meine Augen.
Wenn ihr die 2 begrabt, begrabt ihr wen.
Ich habe nichts gelebt. Nur was gesehn.
Ich will nicht sterben. Nur was taugen.

Was ich mir wünsche

Von Wonders Liedern das traurigste
über den Untergang der Stadt New York,
abgespielt auf einem Plattenspieler in der Hester Street,
von Brechts Gedichten das schönste,
geschrieben in der Charité zwei Tage vor seinem Tod
über den Gesang der Amseln nach seinem Tod,
von Shakespeares Theaterstücken das komischste
über den Prinzen hinter dem Schutz seines Wahns
verfallen dem Rationalismus und einem langweiligen Gespenst,
von den Nächten die hellste vor dem KaDeWe,
die Zeitungsfrauen gehen ihren Weg, der Tagesspiegel ist da,
der Himmel flach und
von deinem schönen Körper das Knie.

WAS IST DAS ZWISCHEN EINSAM UND ALLEIN
als wär ich nur vergangen wie im Flug
rings um die Erde doch ein Stein
bin ich mir nicht geworden. Ach genug

für einen zweiten andren Flug hab ich
noch Kraft und Lüfte auch.

Daß ich mich endlich selber brauch.

VIELLEICHT
betört dich manchmal auch was mich zerstört
und daß mir gar nichts mehr gehört
die Menschentiere solln die Götter segnen
ach lieber Gott laß endlich Äxte regnen
aber

bin ich eigentlich zu faul für eine vernünftige Arbeit
oder du zu feige für eine Einsamkeit
oder

dürfen oder wollen oder müssen wir einsam
sein oder zweisam
weil GEMEINSAM
ausgestorben ist mit den Indianern
oder

denkst du ich denk und lieb nur öffentlich
mein private room ist auch mein public place
daß man mich dafür zahlt macht gar nichts leichter
was ist die Liebe denn für ein Vergnügen
wenn ihr sie anseht und ich habe Furcht
sie würde nicht genügen
auch Beruf kann ich das überhaupt nicht nennen
wenn ich mich kenntlich mach so oft
bis ich mich selbst nicht kann erkennen
oder

gehst du mit mir in unsern Uhrwald Paare hassen
daß wir nicht küssen müssen sondern küssen lassen
und

hältst du für Zuneigung was ich dir antu oder
für Wahrheit was ich uns beiden zurechtdichte
oder

hältst du mich aus oder
halte ich dich aus oder
wir zwei einander
vielleicht

glaubst du ich nenn das Eifersucht
wenn wir eifrig die Sucht bekennen
daß wir einander nur betrügen statt uns trennen
oder glaubst du daß wir nur Zwei in Eins verzweifelt sind
und Staates Bürger also wehmütige Würger aber
keiner Länder Kind
also

glaubst du ich will noch länger nur ein Wächter
sein zu meinem Schutz in deiner Haft also Staates
kleinster Zelle FAMILIE genannt
wo jeder jedem unverwandt
oder

glaubst du ich weiß noch wie wir zwei
zum ersten Mal in unseren Augen-Blick
gefallen sind oder
glaubst du daß ich oder du vergessen haben
daß wir einander in unsere Augen versprachen
ganz ohne Forderung einander auszuliefern
vielleicht

ist dir auch manchmal so als käm die Welt ins Lot
wenn du erwachen würdest und ich wäre tot
vielleicht fällt dann der tiefste Schlaf
über uns her und Jeder schläft beim Andern so
als gälte ihm der eigne Schlaf nichts mehr oh ja
vielleicht

kommt dieses Wort Geschlecht
von gut ach nein von schlecht
und der Verlust
liebt sie die Lust
und das was bleibt
ist nur was sich an nichts mehr reibt
und

kriegst du mich
oder krieg ich dich
oder kriegt uns der Krieg
oder heißt unsre Niederlage Sieg
wenn ich dir unterlieg
vielleicht

passen zwei ineinander
oder füreinander
oder aufeinander
oder wäre es besser
wir verpassen einander eins
und zwar kräftig
vielleicht

rufst du auch manchmal Lieb mich
wenn du Hilf mir meinst
vielleicht lachst du auch manchmal über mich
wenn ich dir glaube daß du weinst
und

langweile ich mich mehr mit dir
Tag für Tag oder du dich mehr mit mir
und meiner Käuflichkeit
und

kannst du wenn ich dich jetzt frage
ob du mich liebst mich liebevoll ansehen
JA sagen und NEIN meinen
oder kannst du wenn ich dich jetzt frage
ob du mich liebst mich haßerfüllt ansehen
NEIN sagen und JA meinen
oder

kannst du mich mal
(du kannst mich mal)
ziehst du die Hosen an
ich zieh sie aus
die Frau ist nackt
ein andrer Mann
verwöhnt verwahrlost und verpackt
und was soll diese Frage
in unsrer Lage
oder

sollten wir ein Kind herstellen Tochter oder Sohn der die das
drei Eigenschaften hat von dir (welche)
und drei Eigenschaften hat von mir (welche)
aber

würdest du am Tag meiner Beerdigung
ohne Tränen der Rührung
den Zefirelli-Film »Romeo
und Julia« ansehen wollen
oder lieber die Affenpaare im Zoo
oder

verrätst du mich an jedem zweiten Tag
oder an jedem dritten
oder ich dich an jedem Tag
zweimal und zwingst du mich zu bitten
um das woran mir gar nichts lag
oder

würdest du im Falle einer strafbaren Handlung meinerseits
auf die Gefahr eines längeren Gefängnisaufenthaltes deinerseits
für mich eine eidliche Falschaussage auf dich nehmen
oder

wünschst du dir manchmal auch daß
ich dir gar nichts glauben kann
und willst dein Haß
sei meine Lust ein Mann
will wieder eine Frau
und beide wissen nichts und nur das
wissen sie genau
oder

will ich daß du glaubst ich begehre oder entbehre
eine andere Person für das was ich Gefühle nenne
vielleicht

willst du von mir was
ich nicht geben kann
willst du von mir all das
was ich mir nie mehr nehmen lass'
oder

wollten Wir in den Krieg
Ich gegen Dich und Du gegen Mich
aber Wir gegen Uns oder Du gegen Dich
vielleicht im Sonnenuntergang

vielleicht im Abenddunkelblau
wenn Keins das Andere erkennt
und Jedes sich beim Namen des Andren nennt
vielleicht

zwischen Tür und Angel ja und schnell und weg
keins das Andre angesehn ist das vielleicht der Zweck
vielleicht

bleibt unsere Zeit uns plötzlich stehn
wenn deine Uhr und meine sich noch weiter drehn
und du sagst mir einst kannt ich wen
der hat nur seiner Zeit doch mir nicht nachgesehen
so wurden Uhren Huren und sie gehn
nach uns uns nach und lassen uns verstehn
daß mir die Stunde zwölf schlägt du dir zehn
aber

denkst du daß ich nur achte
was mich verachtet
und ich das verachte
was mich mehr achtet
als mich selbst
und

willst du dem Spiel Frau gegen Mann / schwach gegen stark
noch weiter zusehn für ein Entgelt von 120 Mark
bin ich dann schwach und du dann stark
vielleicht liebt sichs am schönsten doch im Eisensarg
vielleicht

heißt das Liebe Sterben oder Lügen
wenn ich in einen Berg geh und will dort geborgen sein
und warte dein auf daß wir zwei uns zwei mit uns betrügen
und tief im Berg soll unsre letzte Gegend sein
oder

soll ich dir die Welt ersetzen
die man (wer) uns sehr vorenthält
und uns aufeinander hetzen
bis uns diese Liebe Welt gefällt
und

Über dem Schreibtisch
die Karte der Stadt:
Hier lebe ich. (Zur Zeit.) Auf dem Flur der Spiegel:
So sehe ich aus.

Ich bin mit 31 Jahren in dieses Land gekommen
Christus war 31 als er nach Jerusalem kam
ich will ihnen nichts predigen
ich kann ihnen mit meinen Wörtern nichts sagen, was sie
    verstehen
sie fragen mich sie drucken mich sie filmen mich sie
    gebrauchen mich
ich komme aus dem ärmeren Deutschland sie
zeichnen mich aus (5000 Mark Lessing-Preis Stipendium)
sie brauchen mich
ich komme aus dem deutschen Bauch in die harte deutsche
    Leber
sie haben Beschwerden deutsche
in Ost und West
im Osten sind sie unbeholfen im Westen sind sie flott
sie haben mich
gedruckt nicht geruckt
fotografiert nicht aufgenommen
interviewt ignoriert
gefragt vernommen
deutsche Geschichte gelehrt
sie haben mich
fallengelassen
weggeworfen auf
mich
russisch und englisch
aber auf mich
danke

ICH BIN EIN DEUTSCHER DICHTER
ein Strich in einer Landschaft
Seht uns doch zu seid keine Richter
Ich liebe auch. Ich will Verwandtschaft.

Der ist der größte Dichter
Ach, bleib mir, Shakespeare, treu
Wer schneidet uns Gesichter
Du mir. Ich dir. Jetzt sind wir schon Ent-2.

Ich war mein Land. Man hat uns weggeschenkt.
Wo schläfst du, DDR, ich habe mich verrenkt.

NICHTS NICHTS NICHTS IST GESCHAFFT
von meinen Plänen gewaltig der Welt
ein großes Leben aus den Adern reißen
was ist daraus geworden weniger noch als
auf eine Bahnsteigkarte paßt Das ist das Bild
Der Bahnsteig Hier steh ich nun und warte
Und die Uhr schlägt Nachmittag in meinem Leben
Mit Nebensachen hab ichs hingebracht ergeben
hab ich mich der Stumpfheit um mich

B.s Lieblingsgedicht

ist sehr kurz. Es handelt
von einer Frau mit blutigen Händen. Die steht
auf dem Flur einer Schule. Neben ihr B.
tot, in der Hand seinen Füllfederhalter. Das Motiv
der Mörderin verschweigt das Gedicht. Dafür ist es aber
gereimt und klingt wie eine geheime schöne Melodie.
Sein Titel heißt Vergißmichnie.

Antworten Sie, Herr B.!

Die Welt ist gar nicht weiß und das will ich auch
nicht wissen ist nicht weiß aber ein schönes grau
überzieht sie und grau ist auch eine Farbe
ist das ohne rot ohne blau ohne grün ohne gelb das schon
gar nicht aber gefragt woher ich komme aus welchem Land
welcher Farbe antworte ich aus dem grauen Land der Farbe in
   meiner Hand

B. geht weil er sich bewegen will

er läuft von Deutschland in die Schweiz
jetzt kommt er an es wird sehr still
die Kneipe nennt er jetzt Beiz
dieser Reim ist oberflächlich und glatt wie ein Aal
sagt B. und steht an der Limmat sehr neutral
B. geht nur weil er sich bewegen will
und steht still

B. HAT BEI FRAUEN KEIN GLÜCK

sie finden keine Ruhe in seinem Arm
viel zu schnell fällt er in sein Kissen zurück.
Ach, daß sich eine B.s erbarm
und legte ihn still in Watte
und trüge ihn schnell in ihr Haus
und lehrte ihn Worte, die er längst vergessen hatte
und ließe ihn nie mehr heraus.

B. sagt: Klammer auf Klammer zu

haben Sie Angst vor was anderem ganz und gar
was anderes was ist das
ich hab mir abgeschnitten bevor es ausgefallen ist mein
Haar – das war was

JETZT IST B.
berühmt. Jeder kennt ihn. Er ist
bekannt und wird schon vermißt
Keiner gibt ihm mehr die Hand
jetzt ist er schon wieder unbekannt

Selbstkritik

1.

Das Auge das Sie stört
hab ich mir ausgerissen
auf meinen Trümmern können
Sie Ihre Fahnen hissen

Ich habe meine Verse endlich
auf Ihre Schnur gezogen
das eigne Wort bis zur Unkenntlichkeit
zerschunden und verbogen

War das ein Klopfen Stehn Sie vor der Tür
wie sehn Sie aus, ach geben Sie ein Zeichen
und weisen Sie mir Ihren ausgetretnen Weg
Schon morgen will ich meinen Namen von der Liste
streichen

2.

Im Nacken gepackt
mit harten Kat-Schlägen
in die Wurzel gehackt
Von wem. Von Ihnen. Vonwegen.

ICH HABE GESTERN NACHT GETRÄUMT
mir wäre das Dichten egal:
du Heine, du Brecht, du Ruhm, träumte ich.
du, Brasch
Ich habe nichts geträumt heut nacht
und wache auch nie mehr auf

HALTS MAUL, EINZELNER VOGEL, DU
singst dich in Schlaf, bringst mich um Ruh
du schreist nach der neuen Jahreszeit
ich liege im Bett. Das ist zu breit.

ICH BIN HEUTE SCHON SO ALT
wie die Alten als sie gestorben alt waren
wie alt ist der Schnee der vorm Fenster fällt
Wielange liebt sie mich noch mit meinen vielen 34 Jahren

DAS FÜRCHTEN NICHT UND NIE DAS WÜNSCHEN
darf mir abhanden kommen, auch mein täglich Sterben nicht
das seellos süchtig sein auf keinen Fall
nur hirnlos reimen wie ein Wicht muß beendet werden

da ist ein Gott und setzt sich zwischen alle Stühle
er sieht genauso aus wie ich mich fühle

DEN EIGENEN WORTEN AUS DEM SINN
dem eigenen Gesicht meinen Rücken gekehrt
mich teuer verkauft ohne Gewinn
um Liebe gejammert, doch mich selber entehrt.
Mein eigenes Haus zum Theater gemacht
drin eingeschlossen und ausgedacht.

Wieviel mehr bin ich als meine Gedichte
als meine Stücke und Lieder und Worte
Tausendmal mehr bin ich als meine Berichte
und trommle mir stumm an die Brust, meine knöcherne Pforte.

Das ist dein Blut, das ich trinke

Sonett für Thalbach

Das ist deine Haut, an der ich kratze.
Jetzt hängt sie an dir herunter in Fetzen.
Da: deine zweite Haut. Meine erschrockene Fratze
siehst du. Und siehst mich mein Messer wetzen.

Jetzt zieh ich dir ab deine 3. Haut,
o, das Messer blinkt im Sonnenlicht.
Das ist meine Arbeit, schrei ich laut
und zieh dir die 5. Haut vom Gesicht.

Das ist dein Blut, das ich trinke.
Jetzt fällt es. Ach, du kannst dich nicht verkleiden
unter Haut und Haaren. Sieh, wie ich ertrinke
in deinem Blut. Siehst du mich leiden.

Vom weißen Leib den Rock, vom Knochen die Haut
reiß ich dir und aus dem Blut das Herz.
(Schrei nicht. Mir tut es auch weh.)
Heute wirst du verbluten. Du wirst sterben im März,
meine Liebe, mein Opfer, meine tödliche Braut:
Vor ich dich steche: Geh: Bleib: Geh: Steh:

EIN KLEINER KERL MIT WILDEM GANG:
der wankt hier seinen Weg entlang
aus seinem Kopf steht kurzes Stroh.
Jetzt stolpert er und ruft sehr froh
wie kam ich denn hierher und wie
halt ich mich aufrecht. Sehen Sie
mich an, doch sehen Sie genau:
ich bin kein Kerl, bin eine Frau
jawohl: ich weiß von nichts doch weiß ich
Ich heiße T und werde vierunddreißig:
Ab heut beginnt das schlimme Jahr
das meiner Mama letztes war.
Soll dies Jahr auch mein letztes sein,
Herr Thomas Brasch meint mutig: Nein,
doch der hat mir schon manches prophezeit
und als es eintraf, tats ihm leid
dann hat er sich mit Mama aus dem Staub gemacht.
Ich heute? Na, das wär doch gelacht:
Die 2 soffen sich voll, ich sauf mich leer
und stolper beiden hinterher
als ob ich immer beide wär.
Brasch oder Mama, Kerl + Frau, doch immer die und der.

Für B.

Als Habicht kam ich –
voller Kraft und Bitternis
Der Flug zur Sonne hatte mir verbrannt die Flügel
das Meer hatte mit Salz an mir gezehrt
und ich war toll und wund.

Als Habicht kam ich einst –
Die Augen voll von Licht
und Felsen hatten meine Krallen mir geschärft,
die Lüfte hatten meine Lungen vollgepumpt
und ich war Stein und Tod.

Als Habicht kam ich einst zu dir –
und senkte mich in dich
Auf Suche nach dem Sand, dem Meer, dem Fels
zu finden Augen, Salz und große Luft
und fand gestürzt in dich
ein wir.

Für Brecht

Der sitzt im Straßengraben.
Ich wechsle das Rad.
Der ist nicht gern, wo er herkommt.
Der ist nicht gern, wo ich hinfahre.
Warum sehe ich den mit Ungeduld.

Über Heiner Müller

Wer zu ihm geht zu lernen, begreift:
es gibt nichts zu lernen von ihm.
Anders als andere Dichter hat er nichts
zu geben. Seine Stücke sind unangreifbar,
seine Gespräche sind nichts als Gespräche.
Anders als Brecht und Shakespeare verrät
was er tut die Anstrengung. Anders als Shakespeare
und Brecht, die er fürchtet und bemitleidet
hat er keinem etwas zu sagen als:
Niemand sagt, was du zu sagen hast. Niemand
nimmt dir von deinen Schultern deine Last.
Was du zu sagen hast, mußt du sagen, keiner sonst.

Wer zu ihm geht sich ihm anzuvertrauen
ist verraten. Kein Mann ist ihm mehr wert
als er sich selbst wert ist.

Er weiß alles und er weiß, daß er es weiß.
Er verbraucht sich bei seinem täglichen Kampf
um die Dummheit. Er ermüdet bei der Anstrengung
um die Leichtigkeit.

Seine Stücke sind blitzende harte Messer
in die blaue Luft gestoßen. Es fällt kein Blut
nur die Sonne spiegelt sich auf dem Metall.
Er sitzt in seinem Schaukelstuhl und krampft seine Hand
um den Brieföffner.

Für Mary Fassbinder 1992

Als du mit dem Sterben fertig warst
wann das nur begonnen hat
als die Sonne aus war und die Erd dir barst
war das Deutschland mir so mächtig matt.

Da stehst du, Rainer Werner Baal
und gehst mir nicht aus meinem Blick
Der höchste Berg ist ohne dich ein Tal
und wer draufsteigt stürzt nur auf dich zurück.

Der Tod des Isaac Babel

Nur um das Leben das einzige ging er
zu betteln. Unterm Arm den Koffer
aus Pappe von einer Kneipe der Geheimpolizei
in die nächste. Überm Wodka verfluchend
die aufgeschriebenen Wörter. Im
Mantel aus Pelz durch die Hauptstadt der Nacht
sein Gelächter: Über die Helden, die aufrecht sterbenden
Tiefe: Nehmt sie hin: Verbrennt
meine Bücher: Ein Wanderer will ich sein durch
die Rinnsteine oder ein Bauer hinter Odessa: Nur
das Leben das einzige und kein Wort mehr
mit meiner Hand. So versprach ers. Staunend
zwischen dem brodelnden Bier
die Polizisten: Isaac Babel, der jüdische Reiter
des Aufstands ein plärrendes Kind jetzt zwischen
den Jägern, der Jagd zu entgehn. Vor Hinter Unter
den Toren der Hauptstadt zwischen den Lastkraftwagen
wachsen die weißen Berge aus Fleisch: Mitschuldig
will ich sein: Nur um das Leben das einzige.

So griffen sie Babel. In seinem Koffer
die Zahnbürste: Sie warfen ihn über die Hürde
tot. Wer steht gegen ihn auf. Wer übersetzt
in meine Sprache das Wort: Würde.

Mein Lehrer W. N.

wohnt in der Lohmeierstraße. Zu seinen Füßen
die Schüler lassen sich keine Silbe entgehen. Er kann
laut denken Geschichten in einer Sprache, die
keiner versteht außer ihm. Aber

die Schüler erzählen sie weiter und bringen
ihm Grünen Tee und Schwarzen Afghanen. Sein
Auskommen ist gesichert: Sozialhilfe. Er rührt keinen Finger.
  Nur
seinen Mund öffnet er: von Zeit zu Zeit. So

lebt er seit sieben Jahren. Er hat eine neue Ästhetik erfunden:
LebenErinnernSprechenVerkaufen. Wenn
ich mich an die Schreibmaschine setze, lächelt er mitleidig und
geht schnell aus dem Zimmer.

Für Libgart

Was für ein Morgen Was für eine Nacht
Vom Himmel fiel als eine Schlafdecke der Schnee
auf diese Stadt Dann bin ich aufgewacht
in deinem Arm Das tat mir weh

Warum Ich weiß es nicht Du hast mich nicht gefragt
Vielleicht war es die Stadt die wehtat Vielleicht du
Daß es der Schnee war hab ich dir gesagt
Das ist nicht wahr Ich geb es zu

Der Schnee fällt leicht und taut
Was du gesagt hast wars Das heiße Kalt
In einer stummen Stadt die stille böse Braut
Der Schnee fällt weiter und wir werden weiter alt

Für Annette

Was malt Annette. Und wann schweigt
dies stille böse schöne Mädchen wie.
In jedem Bild versteckt sie, was sie zeigt.
Und jedes Bild verrät nur immer: Sie.

Sie hat zwei Farben: Beide heißen blau.
Leg deinen Kopf in meine Hand.
Sie ist zwei Kinder, doch nur eine Frau.
Und wenn ihr Kopf brennt, brennt ihr rotes Land.

Jetzt malt sie blau und brennt so rot
ein Bild das sie noch nie gesehen hat.
Bist du: Annette. Oder bin ich tot.
Mal mir ein blau rotes Bild. Ach, satt,

will ich uns beide hungrig sehn
in deinem Bild. Und wen jetzt auferstehn.

An Heike S. in Paris von Thomas B. aus Berlin
am vierzehnten Februar

Gestern war ich wie von Guten Geistern voll
heute muß ich sein wie meine Haupt-Stadt leer.
Nein: das Einsein macht wie keiner bleiben soll
also muß ich mich verschreiben bis zur Wiederkehr.

Anna

Anna, komm, mein warmer Stein
leg dich in mein Kissen
trink von mir und trink vom Wein
morgen werd ich nichts mehr sein
nur das mußt du wissen.

Für Anna die in die Schule muss

In der Schule lernst du nicht
was dir nach der Schule nützt
daß keiner wenn dein Rückgrat bricht
dich stützt

Auch wie du wenn sie dich treten
ihnen ausschlägst ihren Zahn
lernst du nicht in Alfabeten
noch im Mär von Fuchs und Hahn

Lernen wirst du daß kein Drachen
über unsern Köpfen thront
daß der Stärkere den Schwachen
hier in diesem Land verschont

Und daß hier in diesem Land
jedes Menschen Stimme wirklich zählt
wirst du lernen wenn sie deine Hand
führen und wenn sie die Ordnung wählt

Und kein Oben und kein Unten
gibt es hier das wirst du lernen
Und die Lügen, all die bunten,
sind die Wahrheit (spuck sie aus wie Kirsch mit Kernen)

Glaube nicht wenn sie dir sagen
ich hätt all diese Bitternis
aus den andren deutschen Tagen
aus dem andren deutschen Riß

Denn wie du so geh ich auch
in die deutsche Schule Tag für Tag
und die Tritte in den Bauch
machten daß ich schwer am Boden lag

Daß ich glaubte fast was
sie mich lehrten von dem Drachen
Und daß keine Regen naß
hier die Leute machen

In der Schule lernst du nicht
daß du um dich schlagen mußt
wenn du morgen noch dein eigenes Gesicht
wiedersehen willst (Sag nicht, du hast es nicht gewußt)

Keiner zwingt dich Frau zu sein

18. Jahr: Ich kann nichts schenken.
Nur ganz einfach an dich denken.
Daß es Anna gibt, das ist
von den Göttern Hinterlist.

Denn die wollten mich belehrn,
mit dem Bösen zu verkehrn.
Anna Thalbach war und bleibt
Tochter, Mutter, Frau: entweibt.

Böse schön wirfst du dein Licht.
Du bist 18. Ich werds nicht.
Bleib, was du gewesen bist:
Kluger Götter Hinterlist

Richard gegen England

an Claus Peymann

Zersprungenes enges Land ganz wie aus Glas
warst du und ganz aus Glas bin ich
vereinigt wer die Welt: geteilt war sie mein Maß
jetzt ist sie hin WOHIN o Schreck und lächerlich.

Daß dir mein Land und mir abhanden kam die Richtung
heißt das jetzt wird auch öffentlich privat
ist jetzt der Mächtige nur Gegenstand der Dichtung?
Zwei Geister gingen um. Sind die ein einzig Staat.

Wer hat das Volk gemalt auf die zerfallnen Mauern
daß die Gesichter wurden zu Gespenstern.
Wie heißen diese Zeiten und wie lange solln sie dauern
die Stimmen abgegeben kauern wir jetzt in den Fenstern.

Die letzte Woche

1.

Am Freitag starb die Schauspielerin Helene Weigel,
als ich im Tivoli den Film
»Julia und die Geister« von Fellini sah.
Die Kinokarte hatte ich von den 370 Mark bezahlt,
die mir Helene Weigel jeden Monat
für meine Arbeit im Brecht-Archiv gab.
In der »BZ« sah ich ein Foto von
Franco Ongaroto,
der in Warschau die erste Etappe der Friedensfahrt
gewonnen hat.

2.

Am Sonnabend hingen überall die roten Fahnen.
Vor 26 Jahren war der letzte Krieg zu Ende.
Ich sah meinen Bruder in der Schauspielschule, als
er den Bruno in den »Ratten« von
Gerhard Hauptmann spielte.
Am Abend tanzte ich im Oktoberklub mit
einer Oberschülerin, die schöne Haare hat aber keine Brust
und Lebensmitteltechnikerin werden will.

3.

Am Sonntag schrieb ich ein Stück, in dem einer sagt:
»Der Morgen hat mich wieder auf die Schnur genommen.
Mich. Die glänzendste und schönste Perle von allen.«
Mit Herrn Müller trank ich am Nachmittag Schnaps und
besuchte den Regisseur Marquardt, der noch geschlafen hat.
Einige Minuten dachte ich an Helene Weigel.

Ich hab die Nacht geträumet
ich bring dich endlich um
und hab auch nichts versäumet
dein Blut floß so herum.

Ich hab die Nacht geträumet
ich weiß nicht wohin mit dir
dein Totleib aufgebäumet
hielt sich so fest an mir.

Ich hab die Nacht geträumet
du bist doch gar nicht tot
stand auf hab aufgeräumet
+ bin jetzt noch in Not.

für K. und S.

Für Hildchen Stark am 12.2.97

So hatte ich mir plötzlich alles entzogen:
Die Liebe, die Weisheit, die anderen Drogen,
das Schreiben, das Träumen, die Hildefrau
und wurde grau, oberschlau, ungenau.

Mein Messer wurde ich + meine Wunde:
Herr Jekyll mit Mister (Unwahr-)heit im Bunde.
Um Brasch + Stark machte ich einen Bogen.
Der Wahrheit hat Jackkill ins Gesicht gelogen.

Doch nicht nur umseitig zu betrachtende Picasso-Augen
sondern auch meine müssen was taugen.
Ich werd nicht gesund, aber ich bin nicht mehr krank
nicht Gott, sondern Hildchen sei Dank.

Halb Schlaf

für Uwe Johnson

Und wie in dunkle Gänge
mich in mich selbst verrannt,
verhängt in eigne Stränge
mit meiner eignen Hand:

So lief ich durch das Finster
in meinem Schädelhaus:
Da weint er und da grinst er
und kann nicht mehr heraus.

Das sind die letzten Stufen,
das ist der letzte Schritt,
der Wächter hört mein Rufen
und ruft mein Rufen mit

aus meinem Augenfenster
in eine stille Nacht;
zwei rufende Gespenster:
eins zittert und eins lacht.

Dann schließt mit dunklen Decken
er meine Augen zu:
Jetzt schlafen und verstecken
und endlich Ruh.

Nach Wort

für Heinrich Heine

Aus seinen Mündern
Fallen Schatten
In seinen Haaren
Nisten Ratten
Hinter den Augen
Stürzen Wände
Es wachsen Algen
Um seine Hände
Jetzt bricht der Fluß
Die letzten Dämme
Und trägt zum Meer
Die schweren Stämme
In seinen Liedern
Wird es still
Weil er von alldem
Nicht singen will

Doch was, wenn ichs beginne, läuft nicht
aufs Gleiche hin: auf einen Tod, mal schrecklich und
mal heiter. Auch wenn ich ihn nicht merke:
ein Stück zerfällt, wenn eine Arbeit fertig ist:
von mir. Mich aufzubrauchen ging ich in die Welt
nicht für die fremde Hand. Der Schnitzer bin ich
und das Holz. Die Späne fallen, vortritt
mein Gesicht. Das Messer bin ich auch. Was
will ich mehr. Der Tod verliert sein Unbekanntes
und bleibt: die Arbeit. Erschreckt geh ich und heiter
an meine Bank und treib das Messer weiter.

Ich habe dieses Gedicht für
Fritz Raddatz auf dieses Papier
geschrieben, weil ich will,
daß es ihm besser geht
                    Thomas Brasch

Der Dichter im Viereck

Das Viereck

Zwischen Schreibmaschine und Plattenspieler, Bett
und Tür ist die Welt: Könige gehen
durchs Blut und gelbhäutige Mädchen liegen mit geöffneten
    Beinen.
Ravi Shankars Musik aus zwei Sechswatt-Lautsprechern und
die obere Reihe der Schreibmaschinentastatur:
1234567890+ß"
Dritte Ecke: Das Bett, in dem der Clown sich unter
    Lachkrämpfen
krümmt, bis ihm die Tränen kommen
bis es klingelt an der Tür und die Kette hängt und:
ein leerer Flur, in dem es nach Bohnerwachs riecht,
sieht seinen Rückzug: ein zuckendes Auge und
der Gedanke
an das Ministerium für Staatssicherheit.
Tot Richard, schlägt sein Zepter auf die Auslegware.
Der Blick aus dem Fenster: die untergehende Stadt und
das untergehende Haus und
das untergehende Fenster und
der Dichter im Viereck.

Eulenspiegel

In einem Land, in dem die Leute
unbewegt wie Eulen auf den Ästen sitzen,
nach jedem Krumen dankbar schnappen, der da hingeworfen
    wird,
in den sie wie die Eulen glotzen, sich nicht wehren
gegen Steine,
ist, der den Eulen einen Spiegel vorhält
schon ein Revolutionär,
ein Mann, der auszog einen Kampf zu finden, der nicht zu
    haben war.
Ein Kämpfer doch, der ohne Macht der Ohnmacht seinen
    Kampf ansagt
der Tränen lacht, ein Spiegel, der sich selbst zerschlägt,
ein Clown, der heult, weil er nicht zu den Partisanen geht,
die es nicht gibt.
Ein Eulenspiegel, der ein Christus sein wollte und nicht besser
    werden
konnte als die Eulen, deren Bild er schreiend in die Landschaft
    warf.
Ach, wo kein starker Kampf ist, sind auch keine starken Bilder,
wo keine Toten sind, plätschern die Trauerlieder flach –
wo Helden Narren sind,
sind Narren Helden.

SCHLAFLOSES DEUTSCHLAND TAG WIRD DEINE NACHT
die weiße Dämmerung bist du kein Ort
ich bin geträumt geschlafen aufgewacht
am Bahnhof Friedrichstraße und will fort.

Spiel du das Land ich spiele seinen Sinn
und WEGKRAUT heiße was uns zwei vereint
sag was du willst ich sag dir wer ich bin
nimm mir den Schlaf ich träum dir, was er meint.

Aus einem König eine Leiche machen
aus einer Stadt ein schlimmes stummes Heer
wer nie gewohnt hat der muß nie erwachen
ach Fallada ach Friedrichstraße: Kein Verkehr.

ANZEIGE

erstatte ich bei den Wächtern der Wahrheit
gegen den Schreiber
folgender Zeilen.
Vorgeworfen wird ihm:
dauerndes Lügen, immerwährende Verstellung
Vortäuschung falscher Sachverhalte und
Spiel mit den edelsten Gütern.
Eingeschlichen
zwischen die Aufrichtigen, jene
die ihn für einen der ihrigen halten.
Doch
er lügt, wenn er seinen Mund
auftut.
Diese Lampe dort über dem Tisch
nennt er eine Lampe, hält sie
in Wahrheit jedoch für ein Geschenk Aladins,
den er in Abendstunden begrüßt
haben will.
Das Bett in der Zimmerecke
erhält von ihm den alltäglichen Namen
in Gegenwart seiner Freunde
aber
sobald er wieder allein, streichelt er das matte Holz
klopft freundlich an die gedrechselten Füße
und legt sich behutsam auf das von Hexen verzauberte Pferd
in ferne Länder zu reiten.

Die Götter der Revolution

Jetzt sind sie nicht mehr da, sagen die Gläubigen. Nur
in der Luft sind noch ihre Worte und
in den Zeitungen.
Ihre Bilder hängen noch an den Fabriken, aber
wir haben uns von den Knien erhoben und
hinter die Schreibtische gesetzt. Die Hand am Telefon
sehen wir noch einmal zum Himmel:
Ausgewrungen hängt die rote Fahne am Mast.

Regen, sagen die Ungläubigen und beugen sich
über die Drehbänke.
Wer redet wovon. Ist was passiert.

O Marx, Lenin und Spartakus, hat es euch nicht gegeben,
sagt der Student und sieht
auf den Pflasterstein (so starrte auch Sysiphos)
Mythos der Revolution,
was tun ohne ein Ziel vor den Augen.
Mutter hilf, schreit die Studentin der Philosophie,
wofür bist du dreimal gestorben
im Buchenwald-Lager Steine
im Stalin-Lager als Goldgräberin und
in den Sitzungen der Staatlichen Plankommission.
Mutter hilf, schreit die Studentin und weint eine Träne
ins Lehrbuch der sozialistischen Ökonomie.

Opium für den Schöngeist und
Haschisch für den Gewerkschaftssekretär

Gestern im Fernsehen, sagt Artur und schiebt seine Karre
gegen die Hallenwand.
Hab ich gesehn: Die Ureinwohner von Mexico, sagt der
    Brigadier.
Im ersten: Ehe vor Gericht, sagt Artur, zwei Frauen und ein
    Mann und
alle in Schichtarbeit. Einer über dem andern, die erste nachts
zweimal von hinten und die eigene Frau mittags über der
    Tischkante.
Das ist ein Fest, sagt der Brigadier.
Alles Arbeit, sagt Artur und wirft die Späne in seine Karre.
Arbeit macht frei, sagt der Brigadier.

Und die Götter im Grab lesen Gedichte von Brecht und
klappern mit ihren Knochen den Takt:
Wessen Straße ist die Straße,
wessen Welt ist die Welt.

Die Fabrik hört nicht auf, wo ihr Ausgang ist

Im Schlaf gingen die Arme noch wie Kolben,
durch einen Berg von Eisen fraß ich mich im Traum
mit Schraubenschlüsseln und mit Zangen
und Wasser stieg aus dem Maschinenraum.

Das Wasser bis zur Brust, ich wollte schwimmen
mit meinem Bauch voll Eisen sank ich wie ein Stein.
Die Hallentüren warn verschlossen
und ich ging unter aber konnt nicht schrein

Dann stand ich plötzlich auf der Steintribüne
bei der Parade und ich winkte mit der Hand:
Hans Albers,
Henny Porten,
Siegfried,
Hermann vom Teutoburger Wald,
die Söderbaum,
Max Schmeling,
der Meister
zogen vorbei und sahn nach oben,
wo ich allein auf der Tribüne stand.

Im Schweiß erwachte ich mit schweren Knochen,
die Finger steif, die Arme lahm.
Ich war wie in der Mitte durchgebrochen,
als ich am Morgen durch das Werktor kam.

Ertrunken zwischen Eisen und erhoben
zwischen die Großen, wußte ich: Du bist
lebendig tot aufs lange blanke Gleis geschoben
denn: Die Fabrik hört niemals auf, wo immer auch ihr
Ausgang ist.

Du, halbes Land zwischen Oder und Elbe,
irrsinniges Kind der viehischen Mutter Faschismus
und des russischen Bären mit dem roten Stern im Fell,
gezeugt im Jahr 45 im blutigen Bett Europa, als

auch deine Schwester gezeugt wurde (Zwischen Elbe und
    Rhein),
Kind aus der gleichen Mutter aber vom Vater Amerika,
als du aus dem ermatteten Leib gezerrt wurdest
und deinen ersten Schrei geschrien hast: »Auferstanden aus
    Ruinen«

Land ohne Namen, das sich ansprechen läßt mit
    Anfangsbuchstaben,
umgeben von einer Mauer, unter dem schweren märkischen
    Himmel,
wanken die Dreher durch deine Straßen in deine Fabriken
zum Fleiß (Artur ist schon in der S-Bahn besoffen)

O Kreuzung zwischen Knast und Irrenanstalt, in deinen
    Werkhallen
wird die große Müdigkeit produziert, in deinen Fernsehstudios
werden die Träumerein von Idioten verfilmt, aus deinen
    Rundfunkstationen
klingt das Lulalu und wiegt die Hörer in den großen Schlaf.

Ach, sind wir nicht alle tot wie die Matrosen auf dem
    Gespensterschiff,
die sich mitternachts die Messer aus den Herzen ziehen und
den Kapitän wieder an den Mastbaum nageln und wieder
    sterben.
Wie oft sterben wir noch auf diesem Gespensterschiff das

dem ewigen Eis zutreibt. In Eisenhüttenstadt stürzen die
    Ingenieure
wie Eiszapfen aus den Fenstern der Neubaublocks auf die
    Straße.
Ja, die Wächter der Irrenanstalt gehen umher und sprechen
eine sonderbare Sprache, halb Vatersprache, halb
    Muttersprache, oder

versteht noch einer, was im »Neuen Deutschland« steht. Lucie
    braucht
das Papier, wenn es auf dem Weg zur Frühschicht geregnet hat,
    steckt
sie das Zentralorgan in die Schuhe. (Ist die Arbeitsproduktivität
    noch
zu erhöhen, »fragt der Gewerkschaftssekretär.« Die
    Arbeitsproduktivität

ist noch zu erhöhen, »antwortet ihm der
    Gewerkschaftssekretär.«) Die Häftlinge
in Hohenschönhausen lachen in ihren Zellen: »Wir sind
    draußen, die andern
sind drin.« An der Wollankstraße springt Flori über die Mauer
    und
schreibt einen Brief aus dem Westen: »Jetzt bin ich
    ausgesperrt.«

hab ich es gelesen oder gedacht
wie erzählt man es Westlern!

Wenig an Sanda

Die Stadt ein Friedhof, der Tag war heiß,
die Freunde in alle Richtungen gegangen.
Die noch hier sind, schwimmen im Schweiß.
Alles hat aufgehört, wenig hat angefangen:

Trolle, Barbaraanna in den böhmischen Bergen.
Sanda! Sitzt in Rumäniens Hauptstadt und telefonierst,
oder liegst du und öffnest die Schenkel dunkleren Zwergen
als ich einer bin, während ich wie ein verlassener Fürst

mit großen Schritten mein Fürstentum messe,
das von der Tür bis zum Fenster reicht.
Sechs Schritt nach vorn, sechs Schritt zurück. Ich vergesse
bei solchem Tanz wie du aussiehst zu leicht.

Was Herr Müller macht, willst du wissen,
ich habe ihn gestern besucht.
Das Auto blieb stehn, seine Frau heulte ins Kissen.
Er starrte mich an. Er hat sechs Tränen verbucht.

Die beiden springen morgen über die Grenze,
Cathie am Freitag, Schlesinger ist schon weg.
(... sechs Schritt zurück, diese einsamen Tänze
bringen mich keinen Meter vom Fleck.)

Nicht gemeldet haben sich am Telefon:
Herr Randow, Frau Bolz und drei Fraun,
die sonst nach mir schrein. (Welche? Du weißt schon,
warum soll ich darauf noch herumkaun.)

Klaus und seine Frau marschieren
durch Warschau. Sicher brauchen sie Geld.
Biermann stöhnt: Besser als schwitzen ist frieren
und politischer auch. (So spricht ein Held.)

Ich aber tu mir leid. Fühl ich mich einsam
oder ist die Regierung im Recht?
Wer keinen Paß kriegt und anderen Kleinkram
und darüber flennt, soll im Stall bleiben, der Knecht.

Also: ein Stall ist dieser Tanzsaal, kein Reich
(... sechs Schritt nach vorn). Ein Untertanengesang
ist dieser Brief und die Knie werden mir weich:

Mit deinen großen Gesten, Freund, bewegst du die Luft
nichts sonst. Du erschütterst keinen außer
der Frau, die darauf wartet, daß du endlich zu reden
aufhörst.
Auf deiner Couch sehe ich dich sitzen und ohne Unterlaß
der Regierung vorwerfen, daß sie deine Ratschläge nicht hört.
Wenn du willst, daß sie dich hört, steige doch zu ihr auf,
dann aber werden deine Ratschläge andere sein.

Bevor du redest von Oben und Unten, mußt du erstmal
    verstehen,
daß du unten bist, aber
wie ich dich kenne, glaubst du ja, was dir von Oben gesagt wird:
daß du oben bist nämlich.

Bericht der Kommission

Der im Zimmer Aufgefundene, durch die Zeit
(mindestens zwei Tage) Verfärbte, hat sich,
wie eindeutig festgestellt werden konnte,
mit Gas
aus dem Leben geschafft.
Außer einem Taschentuch (leicht angeschmutzt),
einer Zehnpfennigmarke und einem Zettel
wurde nichts bei ihm gefunden.
Die Schrift auf dem Blatt war verfärbt.
Mit Hilfe des Sachverständigen konnte
entziffert werden das Wort: »Schade«. (»Schade«)

gezeichnet...

Anmerkung:
Niemand braucht also benachrichtigt zu werden.

Einzug

Das amtliche Papier, ein Recht auf die
Wohnung bestätigend, in der Hand, erster
Schritt in die neue Unterkunft.
Alle Spuren der Vorherigen von der Spe-
ditionsfirma getilgt.
Kein Buch, keine Seife, keine Gardine
deuten auf die Ausgezogenen hin.

Vier Jahre hatten sie hier gelebt.
Sommer und Tage, Tränen und Nächte.

Zu hören ist nichts mehr, zu sehen nur
eines:
Auf der Wand gegenüber dem Fenster
ein helles Viereck.

Man wird neu tapezieren müssen.

Pfingsten 76

Für Dirk, Sanda, Katharina

Die Flaschen sind schon leer,
wir stehen ratlos hier im Zimmer.
Gehst du Geh ich Geh weg Komm her
Sieh aus dem Fenster: Unsre Mauer steht noch immer.

Dirk aus dem reichen Westen, sag
jetzt nichts mehr von OstWest. Die Worte sind zerschlissen
und wir vier wundgeweinte Clowns, die einen Tag
aufkommen sehn und krallen sich ins Kissen.

Laß, Sanda, wovor hast du Angst.
Sprich nicht mehr. Laß dich endlich fallen,
damit du wieder auferstehen kannst
und deine leisen Lieder durch die Säle hallen.

Ja, Katharina, so erst bist du schön,
wenn du vergißt schön auszusehen.
Wir beide wollen auf die Straße gehn
und lassen ihn und sie umarmt am Fenster stehn.

Das war im Juni eine Nacht
und Wind, der leicht darüberstreicht.
Nicht eingeschlafen bin ich, bin nicht aufgewacht
und jetzt ist mir das Sterben leicht.

Rosa

so
aus dem sprachlosen Geschlecht der Toten
tritt sie vor euch
aus dem Schatten des Kriegs
den ihr hinter euch wähnt und der anfing
zwei mal sieben Jahre nach Beginn dieses Jahrhunderts
aber der andauert heute noch
unterbrochen zwar immer wieder
durch den Stillstand der Waffen
das Atemholen der Massen
die Verlegung der Fronten
den Austausch der Feinde von gestern
zu Verbündeten von heute
das Erfinden neuer Waffenmaschinen und
den Abschluß neuer Verträge
so
aus dem geschlechtslosen Geschlecht der Toten
dieses Kriegs irrtümlich der erste genannt
aber in Wahrheit der Beginn des immer unterbrochenen
letzten
tritt sie vor euch
die ihr zwei mal acht Jahre vor Ende
dieses mörderischsten Jahrhunderts
euren Geschäften nachgeht
des Geldverdienens und Geldausgebens des Erwerbs
der Arbeit ihrer Verwaltung oder ihres Verkaufs
des Erwerbs der Liebe ihrer Verwaltung oder ihres Verkaufs
immer euch wähnend irrtümlich in einem Frieden
aber beschäftigt zu gleicher Zeit
mit der Herstellung neuer Waffenmaschinen
Bunker elektrischer Anlagen mit der Aushebung
neuer Männer dem Anlegen neuer Fluchtwege

dem Erfinden neuer Formeln für einen schnelleren Tod
geräuschloser als ihr Tod sauberer auch
so
aus dem blicklosen Geschlecht der Toten
dieses Kriegs tritt sie aus seinem ersten Kapitel
vor die Nebenfiguren seines letzten
geschrieben beide von Maschinen das eine wie das andere auch
entworfen aber von denen die ihr Auskommen bestreiten
mit ihrer Herstellung ihrer Verwaltung und
ihrem Verkauf
so aus dem Schlamm der von einem Maschinenkrieg
aufgerissenen Erde
kriecht sie vor euch
die ihr verschwinden werdet in dem Loch
aus dem ihr sie kommen seht
Nachgeburt der mörderischsten Gattung
der Zweibeinigen
die ihre Geschichte schreibt zwei mal acht
vor Ende wie zwei mal sieben vor Beginn dieses Jahrhunderts
mit eisernen Klumpen Gasflaschen Gasöfen
gespaltenen Teilchen die sie aufeinanderrasen läßt
in stählernen Behältern die auseinanderplatzen und weißen
    Regen niedergehen lassen
ausbrennt dem Auge das Licht
so kriecht sie vor eure Augen
für ihren Bericht

ERZOGEN FÜR DIE GROSSEN UNTERSCHIEDE
Entwöhnt der eigenen Denkart bricht er zusammen nach
der Übersiedlung vom Braunkohlendeutschland ins
Steinkohlendeutschland Verwöhnt von Beaufsichtigung und
Beachtung
stürzt er nieder und ins Irrenhaus Im Angesicht seines
Schädelinneren das widerhallt von Widerworten Die
hört keiner mehr Keiner hat sie gehört Jetzt auf den weißen
Gängen Ein politischer Fall erst und dort ein klinischer Fall
jetzt und hier Und wieder ein politischer Irrsinn als
Beweis für die großen Unterschiede Erzogen und verwöhnt
Argwöhnisch der Blick auf den Wasserstrahl Ein Schatten
durch den Gang Ein Irrtum Ausgesetzt dem eigenen Schädel
Ausgesetzt dem fremden Land auf beiden Seiten einer Grenze

Und so reihte ich mich unter die Schwätzer
schwätzte die Blätter vom Zeitungsbaum herab
und verdiente mein Geld mit Allerweltwahrheiten
Dissidenten und Flüchtlinge aus meiner Republik
und stellte meinen kahlen Schädel aus auf den Bühnen
Brecht hilf romantischer Feigling
die Hinrichtung des schuldigen Kindes / Auferstehung des
    Toten
und Rita das puppige Milchgesicht verlorenes Kind

Alter, wo bist du, Bruder verfault, daß ich
dein Fleisch umarmen könnte im Sarg Prenzlauer Berg
grüß dich Abel der du in die Hochzeiten gepißt hast
und eingeschlafen bist vorm Fernsehapparat

Zwielicht so leb ich in Deutschland doppelte Hure
soll ich es versuchen mit Enthaltsamkeit

Marie mit der Brille schlaf ich bei dir
fünf Jahre alte Kassandra Totgeweihte ich binde
die Zöpfe an deinem kleinen verlorenen Kopf

und in den Leichenschauhäusern die Toten
gefallen im Krieg gegen das faschistische Tier
Georg von Rauch Benno Ohnesorg Rudi Dutschke
Andreas Baader und die Frauen die besonders
wo sind die Denkmäler für sie wenn die Zeitungen
jubeln ein Denkmal für die Arbeiter von Gdansk
wo ist die riesige Badewanne für Rudi Kurfürstendamm
Ecke Nestorstraße

Der schöne 27. November

Heute hat die Post das neue Telefonfreizeichen
eingeführt. Statt des mir seit meiner Kindheit
bekannten tut tut tut, höre ich seit heute nacht 24 Uhr
einen endlosen Ton.

Wer sagt noch, hier ändere sich nichts.

DIE REIME SIND SCHÖN SIE BELÜGEN DICH
Das macht sie ähnlich deinen zwei Ländern
Sie zwingen dich Und sie fügen sich
Was willst du immer noch an beiden ändern

UND PLÖTZLICH VERHIELT SICH DIE WELT VÖLLIG STILL
es passierte nichts
kein Verkehrsunfall keine Flugzeugentführung
das Fernsehen hatte nichts zu berichten
kein russischer Dissident hatte Meldung gegeben
kein amerikanischer Präsident hatte mit Einmarsch gedroht
der Krieg? War still als ob es ihn nicht geben will
und ich telefonierte mit meiner Freundin
(ihr Freund hatte meine Bücher zerrissen)
und die Welt stand still und ich glaubte an die
Relativitätstheorie aber wen ich nicht sehen wollte war
Einstein.

MEIN ORT IST DAS LAGER. DIE ZÄUNE SIND EINGERISSEN,
die Wächter sind abgezogen, die Baracken sind niedergebrannt,
aber
mein Ort ist das Lager. Die Lastkraftwagen sind abgefahren,
die Öfen sind kalt, aber mein Ort ist das Lager. Ich
bin die Geisel. Ich habe einen Ausweis, ich habe eine Wohnung,
aber
ich bin eine Geisel. Ich werde bereitgehalten für einen Tausch.
Die Mächtigen, in ihren Bunkern geschützt, halten mich bereit.
Ich bin eine Geisel. Ich werde abgewartet, ich werde
zur Verfügung gestellt

DA LEBTE ICH IN EINEM LAND DAS HIESS MEIN-LAND
in dem kannte mich keiner oder nur das falsche bild
das ich bildete ich mir ein und ab
das hieß meinland und
dort wo ich erwachsen werden mußte als ein kind
aber die kinder müssen hinaus auch wenns
noch so warm ist und die aufsicht sich kümmert
(so meinte ich und bleibe dabei wenns wehtut auch)
aber da kam der ruhm zu mir und formte mich um
daß ich mir selbst so fremd war wie das land um mich
das hieß ausland und so wird es immer heißen
daß ich die gleiche sprache spreche wie dort in meinland
ändert nichts denn diese sprache klingt nur als sei sie so
und hat doch ander sinn nämlich das geld das klingelt
durch jedes wort geschrieben und gesprochen in ausland

MEIN VOLK IST FREI. JETZT KANN ES TUN
was es mit sich tun läßt.
Stoß es aus seinen bunten Schuhn
gib ihm den Rest.

Sie singen in den Träumen Lieder

Die Krähen

Die Krähen schlafen in den Bäumen
der Wind geht durch den Wald
die Krähen singen in den Träumen
und werden dabei alt.

Sie singen in den Träumen Lieder
die klingen durch den Wald
die Krähen träumen immer wieder
daß ihr Gesang vom Himmel hallt.

Der König sendet tausend Schützen
in dieser Nacht in diesen Wald
sie tragen schwarze hohe Mützen
und schießen bald.

Die Schützen suchen in den Ästen
die Krähen, die im Traum.
Der Wind weht kalt jetzt aus dem Westen
die Krähen spürn ihn kaum.

Die Krähen schliefen in den Bäumen
der Wind ging durch den Wald.
Er wußte nichts von ihren Träumen:
Der König stirbt auch bald.

Erinnerung an morgen

Auf den Dächern unsrer Häuser
wohnten wir in dieser Nacht
sahen in die Straßen nieder
sangen Spaniens rote Lieder
über Liebe, Haß und Macht.

Durch die Straßen unsrer Städte
schwammen wir zum Morgen hin
rauchten schwarze Zigaretten
spielten laut auf Klarinetten
wählten eine Königin.

In die Fluten unsrer Flüsse
liefen wir im Mittagsrauch
tauchten in die dunklen Tiefen
wärmten uns im Sand und riefen
unsre Zauberworte auch.

In die Gipfel unsrer Bäume
stiegen wir am Abend ein
steckten Lichter in die Winde
und es blutet aus der Rinde
schwerer dunkler Wein.

Sommerabend

Die kleinen Bäume singen
hinterm Fenster
ein trauriges Lied,
und nebenan
gröhlt das Radio.

Die Finger sind blind
vor Scham,
nichts zu tun,
und die Beine
drängen zur Tür,
zu dir.

Und auf der Straße
fliegen die Menschen vorbei,
glücklich,
ohne blinde Finger.

Du bist nicht unter ihnen
und leerst für mich
die Bahn.

Und drinnen sitzen Menschen,
die ich nie gesehn
mit Schals
und es wird Sommer.

Und in der Kneipe
seh ich die,
die ich schon oft gesehn.

Und als mein Mund
die roten, viel zu roten Lippen trifft,
ist doch kein Finger warm.

Die Rückfahrt ist ein Graus,
so völlig leer.
Auf freier Strecke hält der Zug
und wenn ich wüßte,
daß du hinterm Fenster stehst
dort gegenüber,
würd ich springen.

Doch sind die Fenster blind
so ohne dich.
Ich glaub,
es ist schon Sommer.

Lied von Pest und Wissenschaft

O, das ist das Ende jeder Medizin
von Florenz bis in das ferne Wien,
lehrt der Herr, der uns auf Erden schuf:
Arztsein das ist kein Beruf.

Was ich auch verschreibe, hilft es nicht.
Kaltes Fleisch und Wein: Linsengericht.
Ach, was nutzt dem Arzt sein hoher Schwur,
wenn der Herrgott sagt: Ich bleibe stur.

Denn er zeigt uns ja mit dieser Pest,
daß er uns die Erde überläßt.
Seht doch, wie er uns noch einmal winkt
und das Mensch krepiert und stinkt.

Maria Hilf

(Hurenlied)

Reine Jungfrau, sag, wie hast du das gebracht:
Nicht gebumst und doch ein Kind gemacht.
Wie nur, sag es mir, gehts umgekehrt:
Nicht geschwängert, aber doch den Mann entleert.

Ach, ich weiß, das war der liebe Gott,
der dich langgelegt hat so mit Hüh und Hott,
aber was nur hat er dann gemacht,
sag mir das Geheimnis dieser Nacht.

Vielleicht hast dus alles nur geschluckt,
hats dich nur im Mund gejuckt.
Ja, so ist das, wenn man richtig hurt,
wirds am Ende nur ne Kopfgeburt.

Liebeslied

O, wie ist das schön,
so mit Seufz und Stöhn,
so die Beine breit,
wird der Himmel weit.
Was man alles kann,
ist der Mann ein Mann.

Geh ich auf die Knie
frag nicht wer noch wie
frag nicht Zeit noch Sinn
leg mich einfach hin
so mit Zart und Rauh
fühl ich mich als Frau.

Schließ die Augen zu
sag nicht ICH nicht DU
weiß nicht, wer wir sind
wird zum Sturm der Wind
wird die Lust zur Gier
und das Mensch zum Tier.

Der schnelle Schnee

(Lied der Kokainintellektuellen)

So gehts dir, ja, so gehn die Tage weg,
du schwimmst gegen den Strom durch das Gewimmel,
fast gehst du unter, das Schiff ist leck,
doch plötzlich öffnet sich der Himmel:

Das schneit, Kinder, das schneit
die Horizonte werden weit,
der Schnee, so schönes Kokain
fällt nieder auf die Stadt Berlin.

Und Maler, Dichter, auch Theaterspieler
versammeln sich um Fritz, den Dealer.
Das ist der Stand, so läuft der Hase:
nichts mehr im Kopf, was für die Nase.

Das schneit, Kinder, das schneit
die Horizonte werden weit,
der Schnee, so schönes Kokain
fällt nieder auf die Stadt Berlin.

Ach, grau wird blau, ach, schwer wird leicht,
wenn unterm Schnee so dunkle Erde bleicht.
Da gehn die schwarzen Nächte weg.
Was bleibt? Im Hirn der kleine weiße Fleck.

Das schneit, Kinder, das schneit...

Das Nein-Lied

(Lied der Sofie und der Sybille)

Nein, dafür ist kein Mensch gemacht,
daß er allein lebt Tag und, schlimmer, Nacht.
Ach, Sybille unser bestes Mittel gegen Einsam
war die Wohnung hier gemeinsam.

Nein, verlaß mich nicht,
geh nicht aus der Tür,
lösch nicht dieses Licht,
bleib bei mir.

Nein, der Mensch ist nicht dafür gedacht,
daß dem Nächsten er die Rechnung macht,
die er selbst sich eingebrockt, Sofie,
wer allein nicht leben kann, lebt nie.

Nein, ich gehe jetzt
aus der Tür.
Wenn dein Aug auch netzt,
ich bleib nicht hier.

Nein, das Alleinsein, nein
ist kein Sein ist nur Peinsein, nein
zwei tragen besser als einer
und einer ist viel alleiner.

Nein, nicht gehn,
wollen bleiben.
Wie die Winde wehn,
wolln wir treiben.

Napoleon und Lysistrata

Am 19. Februar trafen sie sich
beim Fasching der Mediziner
küßten sich hinter dem Hauptportal
und sprachen von Norbert Wiener

Sie kam als Lysistrata (blau-weißes Kleid)
Fakultät der Psychologen
3. Semester, ein zweijähriger Sohn,
den ihre Eltern erzogen.

Er trug seinen Dreispitz mit silbernem Stern:
Napoleon, Held der Franzosen,
war vorgemerkt als Physiklehrer schon
in der Schule von Bad Kosen.

Bis zum 6. September liebten sie sich
auf den Straßen und in zwei Betten.
»Doch als das nächste Semester begann«,
sagten sie, »fielen die Ketten.«

Sie gingen auseinander im Herbst
Lysistrata und der Kaiser
zu Norbert Wiener und Anatomie
und wurden immer weiser.

An einem vergessenen Januartag
sah sie ihn zum S-Bahnhof gehen
lief über die Straße, ein Auto kam
und kam nicht mehr zum Stehen.

Zum Begräbnis (ein vorlesungsfreier Tag)
kamen fünf Kommilitonen
die Eltern mit Sohn und Napoleon
sprach von friedlichen Kanonen.

Susanne S.

Sein Zimmer ist im Hinterhaus
im Winter war es kalt
da gingen ihm die Kohlen aus
sie kam und ging auch bald.

Sie kam mit ihrem langen Haar
sang ihre leisen Lieder
er küßte ihr die Augen wund
sie sangen immer wieder.

Sein Zimmer ist im Hinterhaus
im Frühling war es warm
sie tranken tausend Gläser aus
und liebten sich ganz arm.

Sie kam mit ihrem braunen Haar
er sang ihr laute Lieder
wie großer Regen himmelwarm
ging er auf sie hernieder.

Sein Zimmer ist im Hinterhaus
im Sommer war es heiß
sie schaute auf den Hof hinaus
und roch nach Wald und Schweiß.

Sie kam mit ihrem Sonnenhaar
sie sangen blaue Lieder
er trocknete die Haare schnell
mit Küssen und mit Flieder.

Sein Zimmer ist im Hinterhaus
im Herbst da war es lau
da hing er weiße Fahnen raus
und ging auf Kohlenklau.

Sie kam mit ihrem Regenhaar
sie sangen bittre Lieder
und sagten sich Adieu und dann
sahn sie sich nicht mehr wieder.

Sein Zimmer ist im Hinterhaus
im Winter ist es kalt
sie aber wohnt nach vorne raus
und ist schon lange alt.

Am Ofen trocknet jetzt ihr Haar
und flau sind ihre Lieder
sie wärmt sich jetzt im sechsten Stock
und schaut auf ihn hernieder.

Optische Enttäuschung

Heine sah ein Röslein stehn
Röslein auf der Heiden
war so jung und morgenschön
ging er schnell es nah zu sehn
sahs mit vielen Freuden.
Heine sprach ich breche dich
und umschlang es inniglich

und er brach für immer mich
Deutschland hieß sein Leiden
Deutschland, Deutschland, Deutschland ich
weiß wer von uns beiden
stirbt an seinem schlimmen Stich
und jetzt jammert lächerlich
ich will mich daran weiden.

Legte seine Hand auf mich
wollt nicht Lieb nur Leiden
Heine, Deutschland, Heine ich
weiß wer von uns beiden
an dem roten schlimmen Stich
starben wir sehr lächerlich
+ wird sich wer dran weiden.

Abendlied

Gute Nacht, ihr wilden Vögel
ich gehe jetzt zur Ruh
und euer Flügelschlagen
sei mir ein Lied dazu.

Gute Nacht, ihr dunklen Flüsse
ich geh nun langsam fort
und euer nahes Rauschen
sei mir ein Abschiedswort.

Gute Nacht, ihr schwarzen Wolken
ich bleibe nicht mehr hier
und euer großer Regen
sei eine Decke mir.

Gute Nacht, ihr fernen Winde
ich bin schon fast vorbei
und euer kühles Wehen
ein Weggefährt mir sei.

Gute Nacht, ihr weisen Leute
ich hör euch nicht mehr zu
und eure großen Worte
verstummen in der Ruh.

Jede Welt hat zwei Lücken

BITTE WARTEN: SIE WERDEN VERBUNDEN.
Mit wem? Geht Sie garnichts an.
Mit was? Hauptsache ist: Ihre Wunden
bluten, wo keiner Sie sehen kann.

Kein Angerufener meldet sich: Doch
Ihr Aug glotzt noch immer
himmelwärts. Als könnt es ein Loch
bohrn in das Weltabendgeflimmer.

Bitte warten: Jede Welt hat zwei Lücken
Vielleicht können Sie dort verbinden
draußen und drinnen und alles verrücken,
was

Zwischen den Bildern entzünden die Nervensägen
einander aufreibend die Sehnsucht nach dem roten
Wahnsinn. Zwischen den Bildern klaffen die schweigenden
Löcher aufgetan zum großen Fall zurück in den Schoß.
Das ist Theater und kein Vorhang senkt sich über der
mächtig behaarten Votze.

In den Bildern Männer und Frauen oder Männer gegen
Frauen hetzen einander wie Tiere im Fell reiben einander
wie Tiere im Fell bis endlich endlich eines aufschreit
und fällt. Da liegt es auf den glattgehobelten Brettern
und kratzt an den Wachsflecken und sagt endlich nichts
mehr.

Zwischen den Bildern will ich leben, wenn die
Hauptpersonen Atem holen zum nächsten Schlag zum
nächsten Satz, zwischen den Bildern will ich meine Fratze
sehen am geschlossenen Vorhang, versteckt vor den
weißen Ingenieuren, zwischen den Bildern mein Stück in
dem nichts mehr geschieht.

ER TAUCHT AUF AUS EINEM SCHWEREN SCHLAF
und starrte auf die Uhr: dreiviertel sieben,
sie stand am Tisch vor ihrer Tasche und
wandte sich zur Tür. »Hier bin ich«, sagte er
und sie: »Ich geh noch nicht.« Dann fiel ihm
die Nacht ein und daß er ihr gesagt hatte:
»Ein Aas bist du und brauchst nur einen großen
Schwanz zwischen den Beinen, andres überzeugt dich
nicht.« Sie hat gefragt: »Wovon.« Das fiel ihm ein, als
sie die letzten Sachen in die Tasche packte fürs
Studentenlager. Er sagte nichts und hörte sie
zur Küche gehen, hörte Tassen klappern.
Sie kam zurück und nahm die Tasche:
»Auf Wiedersehen.« Und ging. Als hinter ihr die Tür
zuschlug stand er auf und wusch sich und trank Kaffee
und las ein Buch über den Bauernkrieg:
Als ich auf dem Wacholder saß,
da trank man aus dem leeren Faß.
Wie bekam uns das?
Wie dem Hund das Gras.
Der Teufel gesegnet uns das.

2.
Am Abend ging er in die »Melodie« und traf
Katie, die Tänzerin, und Gumpert, den Pianisten.
»Krank seid ihr, du und sie«, sagte die Tänzerin,
»ihr solltet auseinandergehen.«
»Wir sollten auseinandergehen«, sagte er,
»ich brauche eine neue Frau, japanisch schön.«

(Nachts schlich er in sein Zimmer und schrieb ihr
einen Brief, ach ihre Brüste waren schon berührt
von andren Händen, sie war schon nicht mehr,
die sie war, sie war schon eine Frau, und ihre Lüste
wurden schon gebraucht von andren, ach, gib sie auf –
das dachte er, als er von Liebe schrieb.)

DAS HABE ICH MIR GEDACHT, DASS
Sie das jetzt sagen werden.
Das habe ich mir gedacht, daß
Sie sich selbst zuwider sind.
Das war vorauszusehen, daß
Ihnen die Freunde von einem,
der sich selbst keinen Schuß wert ist,
keinen Schuß wert sind.

Reden Sie doch jetzt nicht
von Entfremdung.
Reden Sie doch jetzt nicht
vom 20. Jahrhundert.
Reden Sie doch jetzt nicht
von den Brettern, aus denen die Welt gemacht ist.
Reden Sie doch jetzt nicht von Theater.

Das habe ich mir gedacht, daß
ich das jetzt von euch hören werde.
Das habe ich mir gedacht, daß
Ihnen zum Lachen ist, wenn Sie ein ehrliches
    Wort herausgebracht haben.

Das habe ich mir gedacht, daß
Sie sich selbst ein Clown sind,
der Angst vor dem Gelächter hat.

Reden Sie doch jetzt nicht
vom Tod der Individualität.
Reden Sie doch jetzt nicht
von den matten Zeiten, in die Sie geworfen sind.
Reden Sie doch jetzt nicht
von Robespierre.

Ich tue Ihnen den Gefallen.
Ich lache jetzt über Sie.
Genügt Ihnen das.
Noch einmal kann ich nicht lachen.

ALS DAS FLÜSTERN IN SEINEM KOPF AUFHÖRTE
und eine Stille aufstand hinter seinem Blick,
als er nichts mehr sagte,
wenn ein Mann zu ihm kam und schrie:
»Von Ihnen halte ich nichts, Sie sind keiner,
dem ich sagen würde, was mir fehlt«,
als er in den Fahrstuhl stieg und in den zwölften Stock
fuhr, auf die Stadt zu sehen, aus der er gekommen
war, in der er gegessen und ein Gefühl in seinem
Kopf gesucht hatte, auf seinem Mund,
in seinen Armen,
in den Armen einer Studentin der Filosofia, die kalt
war, in den Armen einer Schauspielerin,
die aus Angst vor dem Alter in die französische Kirche
stieg, wenn es Nacht wurde, und dabei jauchzte wie
ein Mädchen,
aber den schrillen Ton in ihrer Stimme nicht hörte,
in seinem Kopf,
als er auf die Spree sah, die sich nicht verändert hatte,
hörte er hinter sich eine Stimme und drehte den Kopf.
Da stand vor ihm das Mädchen mit dem dunklen
Gesicht.
Jetzt ist die Liebe, dachte er.
»Warum kommst Du hinter mir her«, sagte er.
Er schwankte und fiel aus dem Fenster mit dem
Rücken zur Stadt, aus der er gekommen war, in der er
gesucht hatte, was Liebe genannt wird. Und er fiel auf
das Pflaster und hatte nichts verstanden. Und hatte
gelebt, wie das Licht aus dem Fernsehapparat lebt.

Nach Nächten ohne Schlaf / mit oder ohne
Alkohol / Pulver / Streit / Liebe fragst du
die Frage »WOHER NIMMST DU DIE KRAFT«.
Willst du das wirklich wissen? Oder
fragst du nur so? Willst du eine Antwort,
die dich überrascht, oder eine, die du
schon vorher wußtest?

Mein einziges Leben ist zwischen 2 Ländern:
das dauert so lange leben dauern kann,
mein einziges Leben heißt wie kann ich ändern
diese einzige Welt, diese einzige Stadt, diesen einzigen Mann?

Mein einziges Leben wäre nur halb
zwischen Schlaf und Wachsein und Wer
wenn ich als ein lebendiges lebloses Kalb
meine Welt auf mein Grab fahren lassen würde + leer

Ich wäre leer wie die stille Welt und wäre still
wie dieses stille laute Leben
Schlafen und Wachsein macht, daß ich will
ein anderes Nehmen und Stillsein und Geben.

Geschrei und Gelächter

Und mein Gelächter mischt sich mit den Schmerzen,
mit kaltem Haß und wächst zur Flut,
wenn sie mit ihren stumpfen Scherzen
mich peinigen bis auf das Blut.
Wenn sie mit trägem Grinsen in den Leib mir treten,
wenn sie mit falschem Lächeln ihren Freund mich nennen:
All diese Besserwisser, kalte Philosophen und Poeten
ohne Traum, ich will sie nicht mehr kennen.
Beispiel: Die fette Tochter aus dem guten Haus,
die um den dürren Bart mir geht und in den
kurzen Fingern Scheine dreht, die sie dem Vater
aus der Tasche lügt, dem Vater, der mit Wunden,
die Faschisten schlugen, krank auf seinem Rücken liegt,
dies fette Weib, das nichts tut, aber dauernd schwätzt
von jedem Mann, mit dem sie sich zu Bette setzt, das aufheult,
wenn von Arbeit nur die Rede ist, das wie die Bibel Marx
zitiert, wenn es um Arbeit geht, Marx schnell vergißt –
du bist gemeint, du, Prinzessin auf der Erbse Theorie
und Made im Kommunespeck geh mir vom Hals
und leck dir andern Speichel auf, würz dir mit andrem Salz
dein laues Herz. Bestell auch deinem Freund:
Ich will ihn nicht mehr sehn,
er soll mit Ach-ich-weiß-nicht-wem durch seinen dürren
Dichtergarten gehn und das Zynismus-Pflänzchen pflegen
und seine faule Ironie. Er soll vorm Weg zum Lügnerruhm
sein Wackelknie behandeln lassen.

Dann ist schon besser, wenn ich ohne Freunde bin,
als daß mich solch Gelichter auf die Stirne küßt.
Und unter ihren Küssen sterben – das hat keinen Sinn,
da seh ich lieber zu, wie mich mein Haß zerfrißt.

Unter den Einäugigen

will er der Blinde sein.
Ich bin König, ruft der Knecht in die tote Welt hinein.

Verwandlung

Vielerlei geht um über das Leben der Menschen nach dem
letzten Blick ihrer Augen. Manche sprechen von einer dann
stattfindenden Verwandlung in Tiere, Wolken oder Blumen.

Nach traumlos durchwachten Tagen aber glaube ich fast:
Unsere Körper schrumpfen zu kleinen Gehäusen, das Herz
wird zur Unruh, in Zeiger verwandeln sich die Arme, und
unser Atem erstarrt zu gleichmäßigem Ticken.

Als Uhren weisen wir die Restlichen dann, mahnend
auf das, was wir für immer verloren:

Die Zeit.

Im gleichen Moment

...Wenn er hier, in Mantel und Stiefeln,
auf dem Heimweg befindlich, den Arm leicht
gebeugt auf dem Rücken, zu den Sternen
aufschaut...

...Wenn sie dort ein Lid schiebt aufs
andere wegen der Sonne, das Buch auf den
Knien, angelehnt an die Rückwand der
Bank...

...haben beide den gleichen Gedanken:
Wir sehen uns nie, weil die, die dazwischen,
einander nicht kennen.

JA, IN DER LIEBE WAR ES WIE IM SPORT
und wie im Krieg wars in der Liebe auch
das Bett, das Schlachtfeld, der Center Court,
ich unterwerf dich mir, so hieß der Brauch.

Zu frühren Zeiten tat man das mit Stil,
mit Eleganz und leichter Raffinesse
man siegt schweigend und der Gegner fiel
ins Bett, ins Grab oder ganz einfach auf die Fresse.

Heut redet man zuviel von der Verführung
und macht zuviel Gewese, wenn man siegt,
der Todesstoß, der Punktgewinn, die Schönberührung
macht man zu öffentlich und man betrügt

einander um die Regeln viel zu laut,
wenn man einander zart und hart bekriegt.
Der Krieg, der Sport, die Liebe, alles ist versaut,
so daß der Sieg am Ende gar nichts wiegt.

Da kommt es hin, wenn man dem Volk erlaubt
den edelsten Verrichtungen blöd zuzusehn:
Der Krieg, das Spiel, die Liebe, ihres Seins beraubt,
da hilft nur noch sich einfach wegzudrehn.

Abzählreim

Dein Vater ist alt
deine Schwester ist dumm
meine Hände sind kalt
du fragst nicht warum

Wenn du nicht fragst
nicht weißt seit wann
wenn du nichts sagst
bist du jetzt dran.

Als Gott den Menschen schuf
mit leichter Hand und schrägem Blick
gab er ihm auch einen Beruf
und um den Hals einen Strick.

Der Maler

Er zieht die Leinwand auf und stellt sie
ans Fenster. Dann geht er in die Chausseestraße,
Farben zu kaufen. »Alle, die sie haben«,
sagt er zu der Verkäuferin.
Mit vollen Taschen geht er zurück in das
Atelier. Er beginnt das Bild.
»Mein Lebenswerk«, sagt er zu der Frau,
die er geheiratet hat.
Er malt vierzig Jahre lang. Alle Gesichter,
die er gesehen hat, alle Häuser,
in denen er gewohnt hat (drei Häuser),
alle Straßen, durch die er gegangen ist,
alle Gefühle, die er gefühlt hat (das sind
die Tönungen und Schatten von den Dingen.)
Er ißt nebenbei mit seiner Frau,
die älter wird.
Er wird alt. Die Farben sind verbraucht,
als das Ende kommt,
als der Herzschlag kommt.
Als der Herzschlag kommt, ist das Bild fertig und
der Maler fällt um.
Dabei macht er mit dem Pinsel einen Strich
quer über das Bild.
Die Frau sitzt an der Tür und
schüttelt den Kopf.

Die Abenteuer des Architekten

Nachts springt er aus dem lauen Traum
in die Straße
Fieber hetzt ihn unter die Laternen
in die Höfe dunkler Mietskasernen
auf die Dächer neben blecherne Antennen
in die Keller an die Fenster
hinter denen trübe Lichter brennen
zu den Kähnen unter breite Brücken
kriecht er ohne Atem und
ruft alle Namen die er weiß
zwischen Leuchtreklamen:
»Du verletzte, du zerfetzte
in den Leib getretne Lügnerin,
Berlin –
du matte käufliche
satte schöne Frau.
Leg dich zu mir, laß dir deine grauen Hemden
von den weißen Schultern ziehn
und vergiß die fremden Worte
sing doch, Liebste, schrei
bald ist unser Glück vorbei,
morgen wirst du wieder mit den kalten Freiern stehn,
jenen greisen bleichen Zwergen
und ich werde mein Gesicht von dir abwenden
werde meine Tage enden
in den Bergen.«

Das unmögliche Gedicht

Das Unvereinbare will ich in ein Gedicht: Deine
schmalen weißen Hände und das Gesetz, das dich zur Ware
  macht,
die einfache Schönheit eines Reimes und
der blöde Taumel meiner wirtschaftlichen Verhältnisse, mein
Erschrecken vor dem kleinen grauen Hund und
meine Freude über den Tod der letzten regierenden Leiche.

Für dieses Gedicht (ich kann es nur denken)
würde ich meine Schreibmaschine verschenken.

Und lobt den Stechapfel das gute Kraut
ein Meter hoch so wächst er auf dem Schutt
dem Greis die Schmerzen lindert er
dem Jungen hilft er in den Traum Wer
spricht von Gift wer redet da von Rausch
er ist ein Tausch

Als Kristi starb hielt Karl ihre Hand
er saß kalkweiß bei ihrem Sterben.
Jetzt laß mich los, sagte sie. Er stand.

SEIN STUHL IST LEER.
Sie sieht, wie er über die Straße hinkt.
Wie sie ihn sieht und winkt,
sieht er.

Dein Lieben macht mich allein

Du sagst:
Ich will nicht geliebt sein
Ich will meine Stille Ich sage es weiter
Dein Lieben macht mich allein
Dein ist mein Wille.

So lehrten sie, einander aus dem Weg zu gehen,
wie schön auf diese Weise, Lust zu steigern
sich voneinander wegzudrehn statt anzusehn,
einander nicht verweilen, nur verweigern.
Schön wie Verlust die Lust ersetzen kann
und Menschenbaum sich wieder spaltet,
ach, in Frau und Mann.

WANN SCHREIBT MAN EIN EROTISCHES GEDICHT?
Wenn man nicht weiß wohin mit dieser Leidenschaft
dem Lebenssaft oder wenn es gebricht
an dieser Lust und nur das Wort macht Kraft?

Wem schreibt man ein erotisches Gedicht?
Der man die Zunge lösen will mit Fantasie
die Knie weit öffnen oder jener die dich nicht
und dein Gedicht nicht will: dem großen NIE?

Wie schreibt man ein erotisches Gedicht?
Mit heißem Fleisch oder mit kaltem Sinn
mit »leg dich hin« oder »tus besser nicht«,
zielt besser man auf sexuellen oder finanziellen Reingewinn?

Von allem beiden hat was äußerst Gutes:
Hauptsache ist man tut es guten Mutes.

Wenn ich dich begehre gegen jede Vernunft
wenn ich in dir suche meine Unterkunft
wenn ich das Sehnen und die Sucht benenn mit deinem Namen
und denke, es war gestern, als wir zu uns kamen
wenn ich in meiner Liebe ganz verfangen bin
und alle meine Wünsche wandern zu dir hin
was kann denn daran unvernünftig sein,
wenn wir nicht uns, nur der Vernunft jetzt sagen:
Bleib allein.

OFT BIST DU DER, DEN ICH LIEBE
oft bist du der, den ich hasse
viel seltener jedoch.
Auch der bist du, vor dem ich mich fürchte.
Du bist der, der mich schlägt
du bist der, der mich streichelt
du bist der, der mir sagt, wer ich bin
du bist der, der mir sagt, was ich kann.
Du bist der, der schreit
und du bist der, der flüstert.
Alles bist du.
Aber nie wirst du der sein,
der immer hier bleibt.

WIE LUST- UND LEHRREICH WÄRS DIR ZUZUSEHN
wenn du spielst Mann und Frau zu gleicher Zeit
so könnte dir und mir die neue Gier geschehn
du wehrst dich gegen dich den Mann und öffnest dich
ihm weit

Ich könnte dich auch fragen nach den Bildern
in deinem Kopf du auch nach der Furcht in meinem
wie würden wir sanft ineinander fremd doch furchtlos
wildern verführen ohne zu berühren zwei in einem

und jeder mit sich selbst und mit dem dort im Reinen.

Die Haut

Ach, deine Haut soll mir
sehr nahe liegen, wenn
ich, nahes kaltes Tier,
mich altes Tier verbrenn.
  Ich wollt dich nie,
  dich Schönes, lassen.
  Jetzt sag mir, wie
  willst du mich, Totes, hassen.

1 Mann + 1 Frau = ein Liebespaar.
Nach Deutschland seht doch noch einmal zurück.
Zwei wollten wissen: Ist die Liebe wahr
Und sind zerrissen: zwei in einem Stück

Sie sagt Ich liebe und er denkt Berlin
Sie sagt Ich weiß Er sagt Ich weiß es nicht
Ja, Deutschland einigt endlich: sie und ihn.
Wie heißt das Zimmer, wo man Kinder bricht.

Das hatte einen Namen
Das war vor langer Zeit
Bevor sie kamen:
war Zweisamkeit
vor Einsamkeit

IST DENN KEIN WORT IN MEINER SPRACHE,
das sie in Rausch versetzt wie Wein
und ihren Willen gänzlich taumeln läßt
und ganz verschwinden dann, das
sie in meine Arme sinken läßt betrunken.
Gib mir das Wort, das ich wie Medizin
ins Ohr ihr träufle gegen ihre Krankheit.
Vernunft heißt diese Krankheit, gib mir
das Mittel. Wie heißt das Zauberwort?

ACH, HEINRICH, THALBACH IST BESETZT,
und du bist lange tot:
Ihr beide wißt doch, daß mir jetzt
mein langes Warten droht.

Wo seid ihr beide, wo denn hin
ihr habt mir doch versprochen:
Ihr helft mir, wenn mir stirbt der Sinn.
Ihr habt das Wort gebrochen.

Hab ich euch nicht zum Paar gemacht
in meinem Vers sehr heiter?
Jetzt steht ihr beide hier und lacht,
doch ich weiß nicht mehr weiter.

Was hab ich denn geschrieben
in dieser Winternacht?
Hab ich für meine Lieben
nur Wörter ausgedacht?

Ach, was: Nur Thalbach, Heine, ich:
Schriftspieler, deutsches Land.
Die Zwei für sich und ich für mich:
drei Köpfe eine Wand,
und ein Gelächter fürchterlich
weil jeder keinen fand.

JETZT BIST DU WEG EIN HALBES JAHR
ich sauf mich voll vom Morgen in die Nacht
hab schon vergessen wer ich war
und hab mir eine Hure angelacht

sie trinkt mich aus und leckt mich blank
sie reitet mich zuschanden
ihr rotes Haar macht mich so krank
sie liegt, ach liegt, wo wir zusammen engumschlungen standen

wo bist du Liebstes und was denkst du dir
ich bin das rote Haar und das Alleinsein satt
komm zu mir Liebes trink aus meinem Glas mein Bier
und küß mich matt

Es ist so schwer unter deinen Küssen
dich noch lieben zu können + schon
hassen zu müssen.

»Ich liebe dich« kann man
auf dreierlei Weise betonen.
Wie spricht man den Satz ohne Betonung?

Wer A wird, kann nie mehr B sagen

Eins wollte auf eine Wiese,
Zwei wollte zu seinem Bier.
Eins nannte Zwei lächelnd: Mein Riese,
Zwei sah hinauf: Ach, Zwergentier.

Beide nannten sie Liebe,
Was vielleicht Blindheit war.
Ihre Augen zwei Diebe.
Ihr Urteil: Kein nächstes Jahr.

DER GLÜCKLICHSTE BIN ICH ALLER DIEBE
aus einer Weltenkammer voll Haß und Wut
hab ich mir gestohlen die Liebe
und zeige lachend mein Diebesgut.
So mach es, Annette, mein Liebes, gut.

ICH HATTE AN LIEBE GEDACHT
das war ein Fehler
sie wollte als ich zu ihr kam
einen Dieb sie wollte keinen Hehler

Ich hatte mich gewaschen
das war die Wendung
sie wollte als ich auf ihr lag
keine Liebe sie wollte eine Schändung

Ich hatte eine Frau im Kopf
das war mein Verhängnis
sie wollte keinen Mann nur einen Heiligen
und eine befleckte Empfängnis

DAS GEGENTEIL VON *WILL ICH* NENNST DU *WILLIG*
das Gegenteil der Liebe sei der Haß
ich wäre dir, ach, teuer, doch mir selbst zu billig
und nur auf mein Verlassen sei Verlaß

nein, deine Augen haben keine Hände
die greifen könnten in mein Augenpaar
sie senken sich vor meinem Blick als wie zwei Wände
auch daraus wird nichts andres als ich war

die Huren, Freund, sind keine Nutten
merk dir das gut, mein höllenloser Held
was du so gern verkleidet siehst in keusche Kutten
nimmt dir was Schlimmeres als blankes Geld

was Nutten tun, tun niemals Huren
die brauchen einen Kunden, doch verbrauchen keinen Mann
die einen wie die andern hinterlassen Spuren
doch eine nennt sich IMMER und die andre DANNUNDWANN

die eine sagt den Preis, die andre ihren Wert
die eine lacht dich an, die andre nie
dein Schwachsein aus, die eine lehrt
die andere verkehrt dich. Und ich? SOALSWIE

Der kleine Krieg

Der 2. Juni
ist der sechzehnte Tag nach dem Abzug
der Besatzungsmacht, die unter kambodschanischer Fahne
das Land Brasch drei Wochen besetzte.
Die Nakry-Armee ist abgezogen mit der U-Bahn
mit dem Zug, die Nakry-Armee hat sich zurückgezogen
in ihr Hauptquartier Halensee
und das Land Brasch ist still. Keine Fahne weht
über den Mauern. Kein Siegesschrei ist zu hören.
Auf den Straßen kein Lied der Befreiung.
Alle sind in ihre Häuser.
Alle haben die Fenster verschlossen und warten.
Die Schüsse haben aufgehört,
die Verhaftungen haben aufgehört, nachts geht kein
Nakry-Soldat durch die Straßen von Brasch.
Mit der Nakry-Armee ist aus dem Land
der Widerstand gegen die Nakry-Armee.
Die Einwohner wissen,
heute am 16. Tag:
Wir haben uns nicht befreit,
wir sind verlassen worden.
Unser Land ist nichts ohne die Unterdrückung.
Unser Feind war unsere Stärke.
Unser Feind war unsere Hoffnung.
Wer keinen Feind hat, ist einer, der keine
Kraft hat.
Die Bürger des Landes Brasch hocken in ihren Häusern
und beten, daß die Soldaten zurückkommen und das Land
noch einmal mit Krieg überziehen, mit Unterdrückung.
Sie wollen besetzt sein. Sie wollen kämpfen.
Komm zurück, Nakry, komm zurück.

DU WILLST, DENKE ICH, SO GELIEBT SEIN
wie dich, denke ich, ziehts ins Herz
Du willst, denke ich, eins sein zu Zwein
und was denken ja sehr himmelwärts.

Ich will, denkst du, sehr betrübt sein
wie du, denke ich, es nie wirst.
Ich will, denke ich, daß mein Herzstein
an deinem Steinherz zerbirst.

Als Frühjahr kam und überplötzlich Nacht
war mir das Herz ganz leicht, die Luft sehr mild
bin ich am Morgen weinend aufgewacht
da stand vor mir ein solches Bild:

Das war: in einer angelehnten Tür
stehst du und siehst mich lächelnd an
und fragst: Das Frühjahr kommt. Errätst du nicht,
wofür?
Ich sagte: Daß ich dich jetzt wieder lieben kann.

Dann war das Bild verschwunden ganz und gar
ich rief noch Katharina in die leere Luft.
Ich war allein mit diesem Frühjahr, doch es war
das Zimmer voll von deinem Antilopenduft

Plötzlich jetzt

steht die Welt still.
Wo ist dein Gesicht.
Das muß doch hiersein, ich will
aber es ist nicht.

Dein Gesicht ist weg
Wo ist dein schönes Gesicht
Ich habe jetzt einen Schreck.
Ich sehe dich nicht.

Kannst du jetzt woanders sein
Wohin bist du verschwunden und wann
Viele Jahre ist nichts mehr mein
Aber das geht keinen was an.

Sind wir wann eingeschlafen als zwei
haben wir uns bei Heli getroffen
Sind wir zusammen aufgewacht
in deinem Arm (der war warm)
habe ich uns 2 nur ausgedacht,
aber es hat uns 2 nie gegeben.
Als wär plötzlich jetzt diese Nacht
die letzte in unserem Leben.

Doch mein letztes Jahr
muß ich mit dir teilen
So wie das erste war:
Daß alle Wunden heilen.

Zwischen diesem Himmel und mir
schlägst du die Augen auf:
Den Tod, dies schmierige Tier,
hab ich im Ausverkauf.

Dann bin ich plötzlich weg,
aber du bist wo?
Ich hab mein Versteck,
und werde nicht froh.

Tanz gegen die Uhr

WIE KANN ICH DIR DAS BESCHREIBEN
Ich kann nicht tanzen. Ich warte nur:
In einem Saal aus Stille. Hier treiben
Geister ihren Tanz gegen die Uhr.

Spuren verwischen

Die Zeilen verschwimmen die Zeichen
ich habe sie geschrieben. Ich kann
sie nicht mehr entziffern. Erst
wenn ich tot liege unter der Erde
über die ich gegangen bin kommt einer
und weiß was ich gemeint habe.
Die Zeilen verschwimmen die Zeichen

Kerbholz

Zwei Ängste seh ich beben
in blauer Luft und auch
in meinen Atem schweben
als feuchtgewebter Hauch

Fünf Schatten hör ich gehen
durch schwere Schritte und
auf meinen Füßen stehen
sie meine Füße wund

Zehn Hände fühl ich fallen
auf meine Schulter als
wohl hundert weiche Krallen
umkosen meinen Hals

GESTERN KAMEN ZWEI
mit meinem Sarg vorbei
der eine hatte blondes Haar,
der andere war ich.
Der Sarg war offen
und die zwei in Schwarz
gingen die Straße hoch zur Bank
im Sarg die blaue Blume lag
doch eine Hälfte nur
der Schnee er fiel auf sie und
deckte sie bald zu.
Im Sarg nur Schnee.
Ich fror, die Blume
und die beiden.
Der Blonde stolperte und fiel,
da fiel der Schnee heraus,
der Blonde starb, ich lag
im Schnee und suchte die Blume.

Und wenn wir nicht am Leben sind
dann sterben wir noch heute.
Die Liebe stirbt, du lebst, mein Kind
die Mädchen werden Bräute.

Ach, wenn ihr mich gestorben habt
lebt ihr mich weiter heute.
gemeinsam wird 1 Land begrabt
und einsam sind die Leute.

ZWEI POSTEN GEHEN NOCH IMMER AUF UND AB
ich habe dir von beiden nie ein Wort gesagt.
Aus unserem Zimmer machen sie mein Grab.
Du hast sie nicht gehört. Dafür hab ich dich angeklagt
und vor Gericht gegen dich ausgesagt.
Ich wußte doch: Die beiden gehen nur
durch mein Gedächtnis gegen meine Uhr.
Dein Urteil war gerecht: Ich bin entlassen
aus unserm Lieben in mein Hassen.

Der große Zimmermann

Wer hat Angst vorm Zimmermann
mit seiner großen Säge
Ich hab Angst vorm Zimmermann
+ geh ihm aus dem Wege

Die Arbeit die er machen muß
ist schlimm + das weiß jeder
er hinkt auf seinem linken Fuß
der rechte ist aus Leder

Der Zimmermann das ist der Tod
der tritt zu dir ins Zimmer
der trinkt dein Schnaps + ißt dein Brot
im Abendsonnenschimmer

Der sieht dich an + sagt kein Ton
er glotzt + trinkt + kaut
das ist ein dürrer Hungerlohn
für einen der sich traut

Jetzt legt das Brot er aus der Hand
+ stellt zurück die Flasche
er hinkt zur weißgekalkten Wand
+ nimmt sich seine Tasche

Denn seine Arbeit tut er so
wer nimmt sie ihm denn ab
wer springt denn lachend oder roh
freiwillig in sein Grab.

Das Meer

Ich tausche ein offenes Meer
für meinen letzten Gedanken.
Ich will sehr still und sehr
ins Blaue schwanken.

Daß ich nichts verlasse
wenn ich nicht mehr bin
Daß mich keiner hasse
Daß ich nichts vermisse
wenn ich nichts mehr bin

ALS DIE SONNE AUF DIE ERDE FIEL
– lag ich in den Wassern und war träge
von den Wärmen und den Liedern
die da mit den Wellen kamen.

Stunden schon war ich dahingetrieben
das Gesicht den Strahlen zugewandt
meine Augen hatten nicht verschlossen sich
den Schmerzen und den Himmeln.

An den Bojen war vorbeigeschwommen
der ein Leben meinen Namen trug
als die heiße Scheibe wuchs
zunahm wuchs und stürzte.

Und der Schwimmende begriff was
geschah schon in Sekunden doch
lag weiter unbeweglich nur bewegt
von den Wellen breitem Wiegen.

Seine Augen waren nicht geweitet
als sie sahn den schnellen Fall
weiter trieb der Regungslose auch
als es brannte überall.

Alles brannte um den See stand als Feuer
und ins Dunkel stieg der Rauch
durch die Lüfte zogen Reste
als es brannte überall.

Stunden noch ist er dahingeschwommen
sein Gesicht den Nächten zugewandt
lang bevor er in den Wassern eingefroren
war das andre Asche schon.

FALLEN DIE BITTREN TROPFEN ZUR ERDE
liegt ein Nebel über dem Land
starr zu den Bäumen ich unverwandt
bis auch ich zu Hölzernem werde.

WEIL ICH DAS EIGENE VERLOREN HABE
kann ich nichts mehr schreiben. Jeder
meiner Gedanken ist mir ganz fremd
und unnütz. Deshalb lasse ich ihn
gleich versinken, wenn er auftaucht.
Zu viel geredet.
Zu selten geschwiegen.
Und Angst immer. Vor allem und vor jedem.
Vor dem Verlassen und dem Verlassenwerden.
Vor der Gesellschaft und vor der Einsamkeit.
Vor meiner unnachgiebigen Verteidigung einer
unwürdigen Unabhängigkeit.
Und immer der Gedanke an Sterben.
Als meine Mutter meine Hand nahm im Auto
am Tag bevor ich ins Internat abfuhr und
ich wußte im gleichen Moment, daß ich
in einen Weg einbog, der mich wegtrieb und
wollte zurück aber da ging es nicht mehr.

WEISST DU, WO DU GEBOREN BIST,
wo die Sonne stand,
als deine Mutter geschrien hat,
wie arm das Blut in deinem Gesicht war.

Weißt du, wo du sterben wirst,
welches dein letztes Wort sein wird,
wer bei dir sein wird,
wie alt du sein wirst, wenn dein Blut stehenbleibt.

Nichts weißt du. Aber
warum sprichst du so laut?

SCHLIESS DIE TÜR UND BEGREIFE,
daß niemandem etwas fehlt,
wenn du fehlst, begreife,
daß du der einzige bist der ohne Pause
über dich nachdenkt,
daß du die Tür schließen kannst
ohne viel Aufhebens und ohne Angst,
es könnte dich einer beobachten.
Dich beobachtet keiner.
Du fehlst keinem.
Wenn du das begriffen hast,
kannst du die Tür schließen hinter dir.

Varia

ICH HABE HEUTE NACHT GETRÄUMT
ich hätte Vater und Mutter.
Sie hätten mich nicht weggeräumt
Auf ihrem Brot die Butter

wär ich. Ich war die Butter nicht.
Sie haben mich verlassen.

Ich habe heute nacht geträumt
ich hätte Vater und Mutter.
Sie hätten mich nicht weggeräumt

Ich habe heute nacht geträumt
ich hatte Mutter und Vater.
Die beiden hatten mich nicht geräumt

Ich habe heute nacht geträumt
ich hätte Mutter + Vater

DA SIND SIE WIEDER DA KOMMEN SIE
die eisernen Gesichter
hinter den Wolken hervor und wie
die auf uns runtersehn als Richter

Da sind sie wieder da lachen sie
die abgestorbnen Helden
wenn wir auf durchgestoßnem Knie
die Zahl der Toten melden

> Engel aus Eisen
> ich hab euch gesehn
> am Himmel über Berlin
> die Hälse verdrehn
> (über die Dächer aufziehn)?

Da sind sie wieder da schweigen sie
die heisernen Stimmen
wenn wir jetzt oder nie
herunterschwimmen

> Engel aus Eisen
> ich hab euch gesehn
> am Himmel über Berlin
> die Hälse verdrehn

> Mein Freund der Henker hat
> im Krieg das sagt er offen
> die Angst gehabt und schnell und glatt eine
> Entscheidung getroffen

> Die Engel aus Eisen
> die sehn auf Berlin

Da sind sie wieder da kommen sie
die unbewegten Gesichter
hinter den Wolken hervor und wie
aus dunklem Dunkel die Lichter

Da sind sie wieder da lachen sie
die schmerzerstickten Stimmen
über die Spree

Die Engel aus Eisen
ich hab sie gesehn
und höre ihr Rufen und Klagen
Berlin deine Engel wollen nicht gehn
und gehen dir an den Kragen

DA SIND SIE WIEDER DA KOMMEN SIE
eiserne Gesichter
hinter den Wolken hervor und sehn
auf uns herab als Richter

Und drohen wieder und lachen wie
längst abgestorbene Helden
wenn wir auf durchgestoßenem Knie
die Zahl unserer Toten melden

Doch als ich schreie, schweigen sie
mit heiseren Stimmen
jetzt sollten wir oder nie
zu ihnen herunterschwimmen

Wer durch mein Leben will,
muß durch mein Zimmer

Wer durch mein Leben will, muß durch mein Zimmer
willst du verhaftet sein: jetzt oder immer

(Wer in mein Leben will, geht in mein Zimmer
wer mit mir leben will
muß in mein Zimmer
könnt ich woanders hin
leben für immer,

würde ich nie wo anders sein,
lebt ich in jeder Kammer.)

Soll ich das flüchten nennen oder wandern,
wenn sie durch eine Straße in die nächste geht.
Die eine Straße ist so gut wie alle andern
vielleicht vergehn die Straßen. Und sie steht.

Was wolln wir tun und lassen wen:
Dich oder mich? Ganz raus und selbstverschwinden?
In dich? In mich? Ins Hassen gehen?
Verlieren uns und wiederfinden
entdecken was sich uns verbarg
verstehn was uns verzehrt
und dann in einen Eisensarg
drauf warten, daß die Liebe wiederkehrt.

Die Anstalt

Hier hockt der Insasse und starrt verwundert
in seine Umgebung, auf die Insassen mit sonderbaren
Bewegungen und undeutlichen Augen, aber fragt sich:
Sind meine Bewegungen undeutlich, sind meine Blicke
sonderbar?

Glatt die Mauern und kein Gedanke an Flucht.
?Draußen ist drinnen!? Drinnen ist draußen?!

Ehemalige Insassen schreiben: »Mit der Straßenbahn
fahren wir oft an euch vorüber. Der Schaffner klingelt,
wir können alle Türen öffnen, aber wo sind die
Wärter.«

Wer die Mauern durchbricht ist verloren, er hat
die Mauern in die Anstalt durchbrochen, aber
er kann über die Straßen gehen, er kann nach
Amerika fahren, er kann Jimi-Hendrix-Platten kaufen.

Wer die Mauern nicht durchbricht ist verloren, er hat
die Mauern um die Anstalt nicht durchbrochen, er kann
sagen: ?Draußen ist drinnen?

Herzlich schlagen sich die Toten ihre Hände auf die
Schultern: »Stellen sie sich neben die Zellentür, legen
sie die Hände auf den Rücken, das Gesicht gegen die
Wand. Freistunde.«

Der sonderbare Blick auf die sonderbare Umgebung
sieht:
Die Sängerin auf der Karl-Marx-Allee, die ihren Hintern
ausschwenkt und müde ins Bett fällt, den Hauptmann
der Volksarmee, der ein Kreuz schlägt, wenn er den
Panzer an der Kreuzung zum Stehen bringt, die
Zeitungsverkäuferin, die dem Lehrling ihre Faust ins
Gesicht schlägt, weil er zwei Minuten lang mit seiner
Freundin telefoniert und
den Beobachter mit sonderbarem Blick, der sich
entfernt, von dem sich alles entfernt.
Über den Dächern ist Ruh
in den Antennen spürst du
nur einen Hauch

Die Anstalt (Bearbeitungsvorschlag)

Glatt die Mauern und kein Gedanke an Flucht.
Wer die Mauern durchbricht ist verloren, er hat die
Mauern in die Anstalt durchbrochen, aber wer die
Mauer nicht durchbricht ist verloren, er hat die Mauern
um die Anstalt nicht durchbrochen.
Freistunde. Der Insasse sieht:
Die Sängerin auf der Karl-Marx-Allee, die ihren Hintern
ausschwenkt und müde ins Bett fällt, den Hauptmann
der Volksarmee, der ein Kreuz schlägt, wenn er den
Panzer an der Kreuzung zum Stehen bringt, die
Zeitungsverkäuferin, die dem Lehrling ihre Faust ins
Gesicht schlägt, weil er zwei Minuten lang mit seiner
Freundin telefoniert und
den Beobachter mit sonderbarem Blick, der sich
entfernt, von dem sich alles entfernt.
Die Sängerin auf der Karl-Marx-Allee, die ihren Hintern
ausschwenkt und müde ins Bett fällt, den Hauptmann
der Volksarmee, der ein Kreuz schlägt, wenn er den
Panzer an der Kreuzung zum Stehen bringt, die
Zeitungsverkäuferin, die dem Lehrling ihre Faust ins
Gesicht schlägt, weil er zwei Minuten lang mit seiner
Freundin telefoniert und
den Beobachter mit sonderbarem Blick, der sich
entfernt, von dem sich alles entfernt.
Über den Dächern ist Ruh
in den Antennen spürst du
nur einen Hauch

EINS WOLLTE AUF EINE WIESE
Zwei wollte zu seinem Bier
Eins nannte zwei lächelnd: Mein Riese
Zwei sah hinauf: Ach Zwergentier

Beide nannten sie Liebe,
was vielleicht Blindheit war.
Am Ende verließen zwei Diebe
den Tatort bestohlen um Haut und Haar.

Wer A wird, kann nie mehr B sagen

Eins wollte auf die Wiese,
Zwei wollte zu seinem Bier.
Eins nannte Zwei lächelnd: Nein Riese,
Zwei sah hinauf: Ach, Zwergentier.

Beide nannten sie Liebe,
was vielleicht Blindheit war.
Ihre Augen zwei Diebe.
Ihr Urteil: Kein nächstes Jahr.

schwarzrotgold – der schrecken, das blut unterm pflaster,
der goldene nagellack der rentnerinnen

schwarz und rot und gold
schneewittchen rotkäppchen und goldmarie

Nein, nie verlieren was ich suche
so hieß der Wunsch, den ich verfluche
jetzt heißt mein Wünschen immer Du
und läßt mir Tag und Nacht nicht Ruh.

Nicht wegzugeben was ich suche

Nicht finden was ich suchte
nicht wünschen, was ich verfluchte
so hieß mein Wunsch, jetzt heißt er Du
verflucht bin ich verwünscht dazu

Ins Grauen, wo keinem wir trauen,
wo wir uns spreizen wie die Pfauen
wo wir die Furcht nur neu uns bauen
dahin versauen uns die Frauen.

Wie wir ein Nest als Rest uns bauen
ein letztes Fest bleibt bei Frauen

trau doch dem Grauen lieb die Frauen

ACH, WENN SIE NICHT GESTORBEN HABEN
den leben sie noch heute.
Wer überm Märchen sucht, muß graben
Wer unterm Märchen ruft, ist Beute

für jeden Falschen Februar

UND WENN WIR NICHT GESTORBEN SIND
dann leben wir noch heute.
Ich weiß ein Märchen, kaltes Kind:
wir zwei sind seine Beute.

Weil sie unser zwei beerdigt haben
müssen sie immer warten.
Sie haben uns sehr tief vergraben.

Wer wohnt wo

1
Und wen sie nicht gelebt haben
den sterben sie noch heute.

2
Unter den Märchen. Oder
über den Märchen. Zwischen 2 Orten
wohnen die Menschen. Beiderlei Sorten.
Ruf mich mit beiderlei Worten

Editorische Notiz

Nachlaßeditionen sind ein heikles Unterfangen, streifen gar das Fragwürdige: Ein Schriftsteller wird mit Texten vorgestellt, die er zu Lebzeiten nicht selber zum Druck gab; aus Schubladenvergeßlichkeit, wegen der Vordringlichkeit einer anderen Arbeit oder dank der Unzufriedenheit mit noch Vorläufigem. Herausgeber müssen also etwas entscheiden, das der Autor unentschieden ließ. Der vorliegende Band präsentiert vorwiegend Gedichte, die – in Mappen geordnet – Thomas Brasch zur Veröffentlichung vorgesehen hatte. Einige wenige waren in entlegenen Anthologien oder Zeitungen gedruckt, beispielsweise »Nachwort« und »Halb Schlaf – Für Uwe Johnson«; das letztere hing an der Pin-Wand des mit Thomas Brasch befreundeten Kollegen, die nach dessen Tod 1984 mit eben diesem Gedicht fotografiert, das Foto mit Gedicht vielfach publiziert wurde.

Auch das strenge Gesetz »Wann ist ein Gedicht fertig« haben die Herausgeber mitunter gelockert, haben aus intimer Kenntnis des Werks wie der Person – also der Arbeitsweise – von Thomas Brasch entschieden; »Bitte warten Sie: Sie werden verbunden« wäre so ein Beispiel: Es schien in Ton und Corpus eine für Thomas Brasch typische Arbeit. So, wie auch einige der sehr frühen Gedichte – »Sommerabend« von 1961 – den Gang des Lyrikers durch diese Welt, seinen Kampf mit ihr, dokumentieren sollen. Da in den Manuskripten nur wenige Gedichte datiert waren, wurden Datierungen generell weggelassen. Indes wurden Motivwiederholungen nicht gescheut; manches davon mag als ein Basso continuo zu verstehen sein.

Um den Charakter des lyrischen Nachlasses zu verdeutlichen, sind in der Rubrik »VARIA« einige evident unfertige Arbeiten abgedruckt; sie sollen Pars pro toto die Arbeitsweise des Autors illustrieren. Diese Werkstattproben sind – wie die Atelierskizzen eines Malers – kein ästhetisches Ganzes, sind gleichsam »unterwegs« zum Werk.

Die Herausgeber haben in die Texte nicht eingegriffen; lediglich deutliche Fehlschreibungen und Tippfehler wurden korrigiert. Bei Unsicherheiten vis-à-vis ungewöhnlicher Schreibweise wurde zugunsten des vorliegenden Manuskripts entschieden: »Einsein« und nicht die mögliche Korrektur »Einssein« im Gedicht »An Heike S. in Paris«. Ein Gran Anmaßung bleibt durch das Prinzip Auswahl; denn nicht jedes beschriebene Blatt Papier, das sich in Schubladen und Kästen fand, ist hier abgedruckt. Dieser Band versteht sich nicht als wissenschaftliche Edition. Er ist Gruß und Gedenken – einem toten Freund.

K. TH.

F. J. R.

Danksagung

Der Nachlaß von Thomas Brasch befindet sich in der Stiftung Archiv der Akademie der Künste in Berlin. Der Verlag und die Herausgeber danken der Stiftung Archiv der Akademie der Künste für die freundliche Kooperation und Unterstützung beim Entstehen dieser Publikation. Ein besonderer Dank gilt hierbei Frau Martina Hanf.

Inhalt

Es gibt mich noch

Unverhofftes Wiedersehen	9
Haben Sie, Herr B.	10
Wer durch mein Leben will, muß durch mein Zimmer	11
Ein guter Platz, sagt sie, hinter der Schreibmaschine	12
Wohnen	13
Ach, wenn ich denke die Welt dreht sich um mich	14
Ratlos vor meinen eigenen Worten im matten Frühlicht	15
Mein Beruf heißt mich nicht verstecken	16
Selbstkritik 7	17
Über Kunst	18
Was ich mir wünsche	19
Was ist das zwischen einsam und allein	20
Vielleicht	21
Über dem Schreibtisch die Karte der Stadt	28
Ich bin mit 31 Jahren in dieses Land gekommen	29
Ich bin ein deutscher Dichter	30
Nichts nichts nichts ist geschafft	31
B.s Lieblingsgedicht	32
Antworten Sie, Herr B.!	33
B. geht weil er sich bewegen will	34
B. hat bei Frauen kein Glück	35
B. sagt: Klammer auf Klammer zu	36
Jetzt ist B.	37
Selbstkritik	38
Ich habe gestern nacht geträumt	39
Halts Maul, einzelner Vogel, du	40
Ich bin heute schon so alt	41
Das Fürchten nicht und nie das Wünschen	42
Den eigenen Worten aus dem Sinn	43
Wieviel mehr bin ich als meine Gedichte	44

Das ist dein Blut, das ich trinke

Sonett für Thalbach   47
Ein kleiner Kerl mit wildem Gang   48
Für B.   49
Für Brecht   50
Über Heiner Müller   51
Für Mary Fassbinder 1992   52
Der Tod des Isaac Babel   53
Mein Lehrer W. N.   54
Für Libgart   55
Für Annette   56
An Heike S. in Paris von Thomas B. aus Berlin
    am vierzehnten Februar   57
Anna   58
Für Anna die in die Schule muß   59
Keiner zwingt dich Frau zu sein   61
Richard gegen England   62
Besinnungslos und arbeitswillig   63
Der ermordete Dichter   64
Die letzte Woche   65
Ich hab die Nacht geträumet   66
Für Hildchen Stark am 12. 2. 97   67
Halb Schlaf   68
Nach Wort   69
Doch was, wenn ichs beginne, läuft nicht   70

Der Dichter im Viereck

Das Viereck   73
Eulenspiegel   74
Schlafloses Deutschland Tag wird deine Nacht   75
Anzeige   76

Die Götter der Revolution 77
Die Fabrik hört nicht auf, wo ihr Ausgang ist 79
Du, halbes Land zwischen Oder und Elbe 80
Wenig an Sanda 82
Bericht der Kommission 84
Einzug 85
Pfingsten 76 86
Rosa 87
Erzogen für die großen Unterschiede 89
Und so reihte ich mich unter die Schwätzer 90
Der schöne 27. November 91
Die Reime sind schön sie belügen dich 92
Und plötzlich verhielt sich die Welt völlig still 93
Mein Ort ist das Lager. Die Zäune sind eingerissen 94
Da lebte ich in einem Land das hieß Mein-Land 95
Mein Volk ist frei. Jetzt kann es tun 96

Sie singen in den Träumen Lieder

Die Krähen 99
Erinnerung an morgen 100
Sommerabend 101
Lied von Pest und Wissenschaft 103
Maria Hilf 104
Liebeslied 105
Der schnelle Schnee 106
Das Nein-Lied 107
Napoleon und Lysistrata 108
Susanne S. 110
Optische Enttäuschung 112
Abendlied 113

Jede Welt hat zwei Lücken

Bitte warten: Sie werden verbunden 117
Zwischen den Bildern entzünden die Nervensägen 118
Er taucht auf aus einem schweren Schlaf 119
Das habe ich mir gedacht, daß 120
Als das Flüstern in seinem Kopf aufhörte 122
Nach Nächten ohne Schlaf / mit oder ohne 123
Geschrei und Gelächter 124
Unter den Einäugigen 125
Verwandlung 126
Im gleichen Moment 127
Ja, in der Liebe war es wie im Sport 128
Abzählreim 129
Als Gott den Menschen schuf 130
Der Maler 131
Die Abenteuer des Architekten 132
Das unmögliche Gedicht 133
Und lobt den Stechapfel das gute Kraut 134
Als Kristi starb hielt Karl ihre Hand 135
Sein Stuhl ist leer 136

Dein Lieben macht mich allein

Du sagst 139
So lehrten sie, einander aus dem Weg zu gehen 140
Wann schreibt man ein erotisches Gedicht? 141
Wenn ich dich begehre gegen jede Vernunft 142
Oft bist du der, den ich liebe 143
Wie lust- und lehrreich wärs dir zuzusehn 144
Die Haut 145
1 Mann + 1 Frau = Ein Liebespaar 146
Ist denn kein Wort in meiner Sprache 147
Ach, Heinrich, Thalbach ist besetzt 148

Jetzt bist du weg ein halbes Jahr 149
Es ist so schwer unter deinen Küssen 150
»Ich liebe dich« kann man 151
Wer A wird, kann nie mehr B sagen 152
Der glücklichste bin ich aller Diebe 153
Ich hatte an Liebe gedacht 154
Das Gegenteil von *will* ich nennst du *willig* 155
Der kleine Krieg 156
Du willst, denke ich, so geliebt sein 157
Als Frühjahr kam und überplötzlich Nacht 158
Plötzlich jetzt 159

Tanz gegen die Uhr

Wie kann ich dir das beschreiben 163
Spuren verwischen 164
Kerbholz 165
Gestern kamen zwei 166
Und wenn wir nicht am Leben sind 167
Zwei Posten gehen noch immer auf und ab 168
Der große Zimmermann 169
Das Meer 170
Als die Sonne auf die Erde fiel 171
Fallen die bittren Tropfen zur Erde 172
Weil ich das Eigene verloren habe 173
Weißt du, wo du geboren bist 174
Schließ die Tür und begreife 175

Varia

Ich habe heute nacht geträumt 179
Da sind sie wieder da kommen sie 180

Da sind sie wieder da kommen sie   182
Wer durch mein Leben will, muß durch mein Zimmer   183
Die Anstalt   184
Die Anstalt (Bearbeitungsvorschlag)   186
Eins wollte auf eine Wiese   187
Wer A wird, kann nie mehr B sagen   188
Erziehung, die Erzieher erziehen   189
Nein, nie verlieren was ich suche   190
Ins Grauen, wo keinem wir trauen   191
Ach, wenn sie nicht gestorben haben   192
Und wenn wir nicht gestorben sind   193
Wer wohnt wo   194

Editorische Notiz   197
Danksagung   199